De rekening

Boudewijn Büch

De rekening

ROMAN

Singel Pockets

Gebeurtenissen, maar ook personen in dit boek zijn uitsluitend
produkten van het brein van de schrijver.

Eerste druk, 1989
Tiende druk, 1996

Singel Pockets worden uitgegeven door
Uitgeverijen Singel 262
Amsterdam, Antwerpen

Uitgave in samenwerking met
B.V. Uitgeverij De Arbeiderspers

Omslagontwerp: Studio Anthon Beeke, Erik Vos
Foto auteur: C. Barton van Flymen

ISBN 90 413 3018 6 / CIP / NUGI 300

Voor Plinius

*...der Vater behält immer eine Art von
despotischem Verhältnis zu dem Sohn...*
(Goethe)

Eerste deel

1

De witte Dodge met chauffeur werd vervangen door een tweedehands fiets met krakende kettingkast.

De eerste jaren van mijn jeugd bracht ik door in rijkdom.

'Lothar,' zei mijn moeder wel eens, 'ik lijd liever armoede in een kleine woning met een brave man die pantoffels draagt, dan dit leven van ruzie, de nieuwste wasmachine en de snelste centrifuge.'

Ik keek mijn moeder aan en vroeg: 'U kunt toch gaan scheiden?'

Mijn moeder poetste het zilver op een oude krant en zei zachtjes: 'Maar dan zijn jullie je vader kwijt en worden we uit de kerk gegooid.' Ik knikte. Mijn moeder blies met gekrulde lippen tegen het roomkannetje en poetste extra hard. Het was de laatste keer dat ik van haar hield.

Een jaar later stopte mijn vader zijn laatste spulletjes in een gescheurde leren koffer. Hij liep de lijst van de rechtbank nog eens door en mompelde: 'Ik geloof dat ik nu alles heb.' Hij had de hele ochtend tranen in zijn ogen gehad terwijl hij langs de kasten liep en zich realiseerde welke boeken hij niet mee mocht nemen.

'De woordenboeken en de encyclopedieën heb je laten staan, hè, die hebben de jongens bij hun studie nodig. Die rommel over de oorlog kun je meenemen, maar de rest laat je staan. Ik laat 't mijn advocaat allemaal nakijken, dus wee je gebeente wanneer je iets in de koffer stopt dat hier behoort te blijven,' snauwde mijn moeder.

Hij werd boos. 'Hier zul je spijt van krijgen!' En hij vermande zich weer: 'Mag ik van de jongens afscheid nemen?' Ze knikte. Ik was het laatste aan de beurt, of eigenlijk als twee na de laatste. Mijn twee jongere broers wisten niet wat er gebeurde. De een lag in zijn wieg en de ander zat met een speen in zijn mond en een winterpetje op zijn hoofd in de hoek van de achterkamer.

'Dag jongen,' fluisterde mijn vader.

'En je raakt hem niet aan!' schreeuwde mijn moeder.

Heel eventjes voelde ik de arm van mijn vader.

'Zo,' zei mijn moeder, 'die is mooi opgekrast, nu kunnen we eindelijk eens aan ons leven beginnen. Wie wil er ijs halen? Zoveel als jullie willen.'

Over de rest van de inboedel werd nog een jaar geprocedeerd.

Zeven dagen nadat mijn vader het huis verlaten had, pikte ik een zakmes bij warenhuis Priba. Achter het schoolplein ging ik er met mijn vrienden landje mee veroveren en op de bomen in de duinen kon ik er mijn initialen mee krassen: 'L. M.'

Lothar Mantoua.

Ik raakte mijn zakmes uiteindelijk kwijt omdat de straat voor ons huis geasfalteerd werd. De buurtbewoners en uiteraard ook mijn moeder (voor wie klagen een tweede natuur was) waren op een avond samengekomen in het wijkhuis en hadden een verzoek opgesteld: 'Geachte burgemeester en wethouders, de drukte van het strandverkeer is zomers voor de bewoners van de Pilarenlaan niet meer te harden. Vooral de Duitsers met hun zware auto's maken ons het leven zuur. De schilderijen dansen aan de muren en de spiegels boven onze schoorsteenmantel barsten. De bewoners verzoeken u vriendelijk of u niet eens kunt nagaan of de laan niet geasfalteerd kan worden.'

'We moeten bij weigering harde maatregelen in het vooruitzicht stellen,' schijnt mijn moeder op de protestavond te hebben uitgeroepen.

'Mens, wacht nu eerst eens af,' moet een buurman gereageerd hebben.

'Slap ventje,' zei mijn moeder toen ze van de protestavond thuiskwam, 'hij durft zijn mond niet open te doen omdat hij in de avonduren klusjes bij de burgemeester op mag knappen. Hoewel ik ook gehoord heb dat 't parket dattie bij de burgemeester heeft gelegd al weer helemaal bol ligt en dat die daar nogal kwaad over is.'

Het asfalt kwam er en de eerste die er met zijn zondagse schoenen op liep, was ik. Nog jaren raasden Duitse badgasten met hun Kevers, Taunussen en DKW's over de afdruk van mijn schoenzolen.

Godverdomme, dacht ik in de achtertuin, hoe krijg ik dat gore spul van mijn schoenen? Het gelazer was immers niet van de lucht wanneer mijn moeder de staat van mijn zondagse stappers zou zien. Ik kraste voorzichtig, zodat ik het leer niet zou raken, langs de geribbelde kanten van mijn zolen. Ik schoot uit.

Het geluid van mijn moeder. De takken en de bladeren die tegen haar hoed ruisten. Ik ging staan en bestudeerde nauwkeurig de aarde.

'En wat staan we te doen? Is ons huiswerk al af?'

'Ik sta naar de mieren te kijken. Ik wil een werkstuk over mieren maken. Hoe ze bewegen, hoe ze wonen.'

'Er zijn helemaal geen mieren in deze tijd van het jaar. En wat hebben we daar? Een zakmes? Een knulletje van – hoe oud ben je ook weer? – met een zakmes. Van wie heb je dat gekregen?'

'Heb ik niet gekregen. Ik heb 't gekocht.'
'Lieg niet!'

~

Aan één oor sleepte mijn moeder mij de Pilarenlaan door, de Schoolstraat uit en de Kerkstraat in.

'Ik wil de chef spreken,' sprak ze gedecideerd in de Priba.

'Ik zal hem even halen,' zei de man die altijd in een beige stofjas de schappen vulde.

'En wat is er van uw dienst?' vroeg de chef die ook een stofjas droeg, voorzien van een extra biesje.

'Wie van uw personeel is zo onverstandig om een kind een zakmes te verkopen? Lothar! Laat dat mes zien.'

'Ik acht 't uitgesloten dat iemand van de dames en heren hier aan uw zoon een mes heeft verkocht. Maar ik wil voor de zekerheid wel eens *rondinformeren*. Ik wil uw zoontje natuurlijk van niets beschuldigen, maar misschien heeft hij het op een andere manier in zijn bezit gekregen…'

Mijn moeders hoed stond onmiddellijk scheef. Ze draaide mijn oorschelp bijna helemaal rond en snauwde: 'Heb je dat mes soms gestolen, klein serpent?'

Ik wist dat er geen redden meer aan was. 'Ja,' gaf ik heel zachtjes toe.

Een tik. 'Wat zeiden we?'

'Ja,' sprak ik iets harder.

'Laat u mij die zaak maar verder afhandelen, meneer. Wat kost dat mes. Vier gulden? Hier hebt u er vijf, voor de overlast en ik hoop dat u er geen werk van maakt. En ga jij maar eens gauw met mij mee naar huis, jongmens. Nu hebben we de poppen toch mooi aan het dansen.'

Rotwijf, dacht ik.

'Ik moet nog 'ns goed uitdenken welke straffen ik allemaal voor je verzin. Het zakgeld dat ik je beloofd heb, kun je voorlopig wel vergeten.'

Toen mijn vader vertrok, hield mijn zakgeld op. Nadien heb ik het nooit meer gekregen. Voor mijn verjaardag kocht mijn moeder warme wanten of breide een das in de verkeerde kleuren. Ik leerde vroeg stelen.

'Dat mijn eigen zoon steelt, vind ik nog het ergste van alles,' huilde ze bijna toen ons huis in zicht kwam.

2

De middagen na school, het gedeelte van de zaterdag waarop ik niet naar school moest, de vakanties en alle feestdagen waren met hetzelfde gevuld: werken.

Zomers lagen de akkers achter de duinen klaar om van hun bloembollen ontdaan te worden, op de zaterdagmiddag stonden de Buicks en de Cadillacs op de parkeerstroken gereed om hun stoffige ronde neuzen glimmend gepoetst te krijgen en elke Koninginnedag, Vijfde Mei of Nieuwjaarsdag zag er hetzelfde uit: vier boterhammen naar binnen proppen en daarna op weg naar karweitjes in ruil voor een paar schamele rijksdaalders.

'Ik moest ook op mijn twaalfde aan de slag,' zei mijn moeder toen ik mij erover beklaagde dat ik altijd moest werken. Ik pakte twee plakjes kokoskaas van het schaaltje en ze riep: 'Eén is genoeg. Maak van je boterham geen stapel zoetigheid. Het gaat om de granen, jongen, daar word je sterk van.'

'Ik kan geen bumper meer zien. Dat stomme gepoets bij meneer Van Gardingen! Hij wil dat ik het wit van zijn banden steeds witter schuur, maar er zit geen wit meer op, het zwarte rubber komt er helemaal doorheen. En bij slager Rekers krijg ik niet eens een glas fris. Hij heeft een verwarmde garage, maar ik moet zijn auto, ook als het vriest, buiten doen. Vuile rijke stinker.'

'Dan doe je wat spiritus in het water.'

'Hij vindt het gebruiken van *stierepis* zonde van het geld.'

'Eigenlijk heeft-ie groot gelijk. Ga nou maar gauw, anders krijg je je auto's vandaag niet af en dan duurt het nog langer voordat je het geld voor die brommer bij elkaar hebt.'

'Het duurt veel te lang. Volgens mij gaat het zo lang duren dat ik straks achttien ben en dan wil ik eigenlijk liever een scooter.'

'Daar komt niks van in. Levensgevaarlijk zo'n ding. Dat rijdt minstens tachtig en je kunt met je benen niet bij de grond komen. Zeker jij niet met je korte beentjes. Nou, schiet op, dan kan de rest in de vaat.'

'Nou, dág, tot vanavond.'

Iedereen werkte. Werkloosheid bestond niet, behalve dan een groep van échte afvallers die *arbeidsreserve* werd genoemd. Er waren twee soorten baantjes verkrijgbaar: *jobs* voor de jongens uit de betere klassen en *rotkarweitjes* voor de rest van de jongens van Nederland. De eerste categorie werkte als caddie op de golfbaan of bracht drankjes rond in de kantine van de hockeyclub, de tweede pelde bollen, waste auto's of hielp bij de hoefsmid met het vasthouden van paardebenen. (Eén jongen zou door een trappend paardebeen voor zijn leven van het seksuele genoegen beroofd worden.)

Na het stelen van het zakmes waren de betere baantjes voor mij niet meer weggelegd. In de benau-

wende beslotenheid van ons dorp was zelfs het kleinste misdaadje onmiddellijk overal bekend. Ik probeerde natuurlijk de Haagse Golf- en Countryclub
binnen te komen, maar een gesprek leverde niets op.

Een heer in blauwe blazer wees mij niet eens een
stoel aan. 'Mantoua,' sprak hij proevend mijn naam
uit, 'Mantoua, heb ik niet iets over jou gehoord met
betrekking tot het wederrechtelijk toeëigenen van
een zakmes? Of vergis ik mij nu héél erg?' Ik liep de
oprijlaan van het terrein af en zag klasgenoten heren
in ruitjesbroeken behulpzaam assisteren. 'Hé Lothar!
Zeker niet gelukt hè?' riep Willem-Jan de Vries ten
Cate mij pesterig toe.

In ons dorp was nauwelijks sprake van georgani-
seerde misdaad. Weliswaar was er bij het Oude Viaduct een broodjestent waar (fluisterde men) overval-
letjes werden beraamd en bier zonder vergunning
werd geschonken, maar veel verder dan illegale
strandjutterij kwam zij in ons dorp niet.

Het verlangen naar het Grote Geld dreef mij op
een middag naar de broodjestent. 'Hebben we daar
die jongen van Mantoua niet,' schreeuwde een man
die zijn pikzwarte haar naar achteren had geplakt. Ik
knikte. 'Ben je niet verkeerd?' lachte een jongen met
een benig gezicht en een tatoeage. 'Zit die jongen niet
te jennen,' zei de matrone achter de toonbank die afgeladen was met flesjes en dozen pennywafels. 'Geef
die knul een biertje,' zei de man met het gitzwarte
haar.

Een half uur later lag ik kotsend tegen het viaduct aan; ik had nooit eerder bier gedronken. Mijn kans op een lidmaatschap van het misdaadsyndicaat was verkeken. Na één biertje had mijn gezicht een groene kleur aangenomen en hadden de mannen mij uitgebulderd: 'Nou, dat zal wat worden met jou; zou je niet eens gaan informeren of je op de golfclub flesjes op mag halen?'

~

Flacons Silvo moest ik op bumpers blijven uitwrijven, met mijn tong uit mijn mond schuurde ik seizoen in, seizoen uit met een Lola-borstel het vuil van het autobandenwit en tegen het vallen van de zaterdagavond glommen de ramen van menige auto en fietste ik met een handvol rijksdaalders naar huis. In gedachten reageerde ik mij af op de autobezitters die mij de ramen twee keer over hadden laten poetsen of gezegd hadden: 'Slordig werk heb je geleverd, moet ik daar een riks voor betalen?'

'Zo jongen, het zit er dus weer op voor deze week,' zei mijn moeder toen ik de achterdeur opentrok. 'Ga maar gauw eventjes onder de kraan, dan smeer ik een paar dikke boterhammen. Ik heb het mij gemakkelijk gemaakt, we eten geen warm.'

We eten 's zaterdags nooit warm, dacht ik terwijl ik mijn vuile goed in de wasmand propte.

De rijksdaalders gingen voor het grootste gedeelte in een oud cacaoblik dat als spaarvarken fungeerde. Eén rijksdaalder werd op de late zaterdagavond besteed aan enkele glaasjes frisdrank in de dancing en de laatste kwartjes verdwenen op zondagmiddag in de kassa van de lunchroom aan de overkant van warenhuis Priba. Gezeten aan plakkerige plastic tafeltjes besprak de jeugd daar de toekomstige rijkdom. De glimmende Puchs stonden buiten te blinken in een laf zonnetje, terwijl wij binnen zaten en ons te goed deden aan glaasjes Rivella en patatjes-mét. Veel mét.

'Hoe lang duurt 't nog voor jij je Puch bij elkaar hebt, Lothar?'

'Jezus, wat lang! Dat je daar het geduld voor hebt!'

'Ik weet een baantje voor je bij Frankfort.'

'Die oploskoffiefabriek?' vroeg ik.

'Nou, oploskoffie, hij verkoopt een soort valse *Buisman*. Mijn moeder zegt dat het puur gebrande suiker is. Maar 't smaakt naar koffie, dat is waar. Niemand heeft voor Frankfort een machine kunnen ontwerpen die zijn potjes automatisch vult. Het spul wil niet glijden en kan ook niet door een trechter, dus moet het met de hand. Met een gewone eetlepel, vijf cent per potje. Handje contantje.'

'Hoeveel potjes doe je op een middag?'

'Als je direct na school begint en je stopt zo om zes uur, dan haal je de duizend potjes wel.'

'Vijftig gulden?'

'Precies!'

'Heren, laatste ronde! Wie naar het lof moet, kàn maar beter opschieten,' riep de lunchroomeigenaar van achter zijn toonbank. We kochten nog een rolletje Fruitella of een Nuts en sjokten vervolgens de lege straat op. Puchs werden gestart, een enkeling besteeg een Berini, maar ik trapte op mijn derdehands Gazelle-fiets naar huis. Ik dagdroomde over het geld dat bij Frankforts Imitatiekoffie Onderneming voor het opscheppen zou liggen.

3

Het werd mij al gauw duidelijk dat er van alles mankeerde aan de Imitatiekoffie Onderneming. De eigenaar was nauwelijks in staat een voet te verzetten vanwege vetzucht en open liesbreuken die, zo vertelde mij zijn vrouw, in toom werden gehouden door een aantal elastische banden. Afgezien van gezondheid ontbrak het de directeur aan beschaving en gezond verstand. In de oorlog was hij fout geweest en al in de eerste weken van mijn dienstverband werd het mij duidelijk dat hij in de keuze van zijn vrienden niet bepaald kritisch was. Wanneer ik uit de achter het huis staande loods werd geroepen voor een kopje thee, nam ik plaats in een doorrookte kamer die gevuld was met vrienden van Frankfort.

De vrienden waren reusachtige heren die rond hem zaten, uitsluitend sigaren rookten en over allerlei handel spraken. 'Cor' – zo noemden ze mijn werkgever – 'we moeten dat handeltje auto's gauw laten wegslepen anders krijgen we last met de rus. Ik heb de blaffers naar Lepe Theo laten brengen en met die lading diamantslijp zit het nu wel goed. Die hebben we bij Pimmetje laten opslaan, midden in de nacht. Geen mens heeft 't gemerkt, nu zorgen dat we dat vrachtje nog op een behoorlijke manier kwijtraken.'

Dat soort conversaties.

Na een paar weken begonnen de heren op mij te letten. Na afloop van mijn pottengevul bleef ik wel eens een half uur zitten om te luisteren naar de half gefluisterde, samenzweerderige praat. 'Zo kereltje, bevalt het een beetje bij ome Cor?'

'Ome Cor? Ik ben geen familie, meneer,' zei ik tegen een van de kompanen die gekleed was in een iets te klein grasgroen kostuum.

'Voor jou ben ik voortaan ome Cor,' sprak de directeur der handelsonderneming plechtig terwijl hij probeerde te gaan verzitten in zijn clubzetel waaruit singels en veren staken.

'Gaat die vullerij een beetje?' vroeg een andere kompaan die een opvallende gouden voortand toonde.

'Ik doe ze goed vol. Tot het randje, meneer. En als ik ze even stevig neerzet, zakt het poeder in zodat er nog een half lepeltje bij kan.'

'Wat zullen we nou hebben, Cor! Laat je ons door dat lulletje naar de kelder helpen?'

'Leip!' riep ome Cor tegen mij, 'wat vertel je me nou, sta je die potjes vol te stampen? Er moet zo min mogelijk in, maar ze moeten wel vol lijken. Wat heb ik nou aan mijn fiets hangen, leipie lullebak!'

'Doe niet zo naar tegen die jongen, ome Cor,' sprak Klazien Coppejans die met een blad vol glazen de kamer binnenkwam. Klazien Coppejans was een paar jaar jonger dan ome Cor, eind zestig, en ze woonden samen. Hoe ze aan hem gekomen was, wist niemand in de buurt, maar over haarzelf deden de vreemdste verhalen de ronde. Ze zou een apotheek hebben gehad, maar door een fatale fout bij het mengen van een poeder haar apotheekvergunning hebben verloren, ze zou (dat vertelde ze tenminste zelf) als een van de eerste vrouwen het luchtruim hebben gekozen en een motorrijbewijs gehaald hebben. De laatste dingen waren niet te controleren, maar haar apotheekstersverleden moest waar zijn. In haar boekenkast stond een groot aantal verouderde farmaceutische werken en op de planken in de keuken zat de sago en het bakmeel in bruine potten waarop 'Hydras kalicus' en 'Nitras natricus' stond.

Ik merkte al gauw dat ze het gezelschap heren, en

zelfs haar eigen Cor, enigszins beneden haar stand achtte. Ze zei wel eens, nadat ome Cor door zijn vrienden in een grote Amerikaan was gehesen en weggereden, dat ze 'op de een of andere manier Cor op haar pad had gevonden', dat 'hij verzorging nodig had' en dat hij haar 'financieel uit de brand had geholpen'. Mevrouw Coppejans schakelde mij al spoedig in voor andere werkzaamheden. Zo witte ik de plafonds van het sombere huis, waarvoor ik extra geld kreeg ('Niks tegen ome Cor zeggen van dat extra tientje hoor'), en zette ik de vuilnisbakken aan de straat.

~

Ik raakte in de ban van ome Cors wereld. Vooral door allerhande nichtjes (waarschijnlijk familie uit een eerder en mij nooit bekend geworden huwelijk) die het huis bezochten en tijdens het vullen van de potjes mij in de loods gezelschap hielden. Eén nichtje heette Hetty. Hetty droeg een opgeklopte beha, terwijl er eigenlijk niets te dragen viel, had gelakte nagels en een ordinaire mond. Ze zat op een late namiddag op een zak imitatiekoffie en vroeg: 'Heb jij het wel eens gedaan?'

Ik schroefde een deksel vast. 'Hoe bedoel je?'

'Of je wel eens van bil bent geweest?'

'Ach nee,' antwoordde ik terwijl ik nog steeds niet

begreep wat Hetty bedoelde.

'Zullen we dan even een nummertje maken? Ome Cor slaapt en tante Klazien hoort toch niks. Ik pees super op je, Lomar.'

'Ik heet *Lothar,* maar ik heb geen tijd; ik ben aan het sparen voor een brommer.'

'Poederpikkie, zeker? Of een mietje? Nou, bij mij krijg je alles d'rop en d'raan. Pijpebekkie ook, als je dat lekker vindt.' Ik kreeg een vaag en onderbuiks vermoeden dat Hetty mij wilde binnenvoeren in het universum van de geilheid waarvan ik toen het bestaan slechts intuïtief vermoedde.

'Morgen ben ik er ook nog, Lomar,' sprak Hetty gemaakt sensueel. Ze sprong van de zak. 'Dan zal het aan mezelf prutsen worden…'

'*Lothar,*' zei ik en vulde een potje; luchtig.

∽

De nachten na de eerste ontmoeting met Hetty werd mijn bed een woelpaleis. Ik droomde van Hetty, ik gebruikte haar in mijn talloze slapeloze momenten en ik werd op haar… Wat werd ik op haar? Verliefd was het woord niet, want Hetty had nergens het geringste spoor van verleidelijke romantiek; ze vertoonde alle kenmerken van de groezeligheid. Ze had iets dat mij ging obsederen: ze was onthutsend plat.

Op een keer zat ze weer op de zak: 'Neuken is leuk,

jôh, maar de meeste knullen bakken er niks van. Snel op en neer is lekker. Warm gevoel in mijn buik. Net als pikken, dat geeft ook een puik gevoel. Eigenlijk is neuken hetzelfde als pikken. Pikken – het woord zegt 't al. Het spannendste van alles, vind ik, is het leeghalen van een warenhuis zonder een cent te betalen. Jij niet?'

Ik knikte en sneed een nieuwe baal open.

'Ome Cor is een échte boef en hij is toch aardig, vind je niet?'

Waren boeven aardig; zíjn boeven aardig?, vroeg ik mij af. Hetty klom van de baal af, ging naast mij staan en raakte eventjes, heel voorzichtig, de omgeving van mijn gulp aan. Ze likte zachtjes in mijn hals. Ze beet eventjes in een oorlel. En fluisterde gemaakt: 'Ik wacht vanavond in het laantje achter de loods. Dan mag je alles doen. Ik zal lekker ruiken, wacht maar af. Of kom je niet?'

Ik kwam.

4

Zelfs de kruin van de boom waartegen we stonden, bewoog op de hartstochtelijke bewegingen die Hetty maakte. Ik stond er enigszins ontheemd bij en Hetty raakte mij nagenoeg overal onder mijn kleren aan. Haar natte mond bewoog ze langs mijn huid en ze fluisterde: 'Ik ben helemaal van jou, jochie, helemaal!' Ik raakte in een staat van iets dat ik toen nog niet kon benoemen, maar dat later 'opwinding' zou blijken te zijn en dat ik op dat moment als aangenaam, maar vooral als spannend en onbekend ervoer.

'Je hebt 't zeker nog niet heel vaak gedaan, hè?' vroeg Hetty. Ik kreunde hartstochtelijk met haar mee en we doken nog verder in elkaar toen er een gearmd paar door het laantje aan kwam lopen.

'Kinderen zijn 't nog, die behoren op hun bed te liggen om deze tijd. Was dat die jongen van Mantoua niet?' hoorde ik de man zeggen.

In de dagen na de vrijage werkte ik af en toe in de loods. Ik hoorde Hetty in de keuken tegen mevrouw Coppejans praten. Als ik haar enigszins schorre stem hoorde, lepelde ik trager de potjes vol en voelde ik een aangename, raadselachtige stroom tussen mijn benen.

'Mag ik even naar hem toe, tante Klazien?' vroeg Hetty.

'Laat 'm nou even doorwerken. Ome Cor heeft beloofd dat die bestelling voor Belgie vandaag klaar zou komen.'

'Ben je nog nooit klaargekomen?' had Hetty in het laantje gevraagd.

Ik had mijn schouders opgehaald.

En opeens was Hetty verdwenen. Ik vroeg wel eens aan mevrouw Coppejans, zo ongeïnteresseerd mogelijk, of Hetty nog eens een keertje zou komen, maar ik kreeg daar nooit duidelijk antwoord op. 'Daar vraag je mij wat,' antwoordde ze op een keer en een andere maal: 'Ach, dat meisje, zo jong en dan al met zo'n verantwoordelijkheid; haar lijf is niet eens volgroeid.'

Hetty bleef: maandenlang stond ze mij voor ogen als ik in de loods aan het werk was. Ik voelde de geilheid die ik van haar geleerd had en ik hoorde haar zeggen: 'Het spannendst van alles is het leeghalen van een warenhuis zonder een cent te betalen.'

Vier jaar later herinnerde ik mij die zin weer extra levendig toen ik de keuken van een restaurant werd binnengeleid door een klein dik heertje.

'Chef-kok, dit is Lothar. Hij wordt de nieuwe parttimer in de spoelkeuken. Lothar dit is de chef-kok,' stelde het heertje ons aan elkaar voor. Het heertje heette mijnheer Terveld en hij was afdelingshoofd van het restaurant en de snackbar van een groot warenhuis in een Zuidhollandse universiteitsstad.

'Zo,' zei de chef-kok toen hij mij naar een hok leidde dat achter de keuken gelegen was en waaruit stoom opsteeg, 'je gaat je studie zelf verdienen?'

'Ja meneer, een beurs zit er niet in want mijn vader

wil niet betalen. Hij betaalt pas wanneer ik rechten ga studeren en daar heb ik geen zin in.'

'Als hij niet betaalt, heb je toch recht op een beurs?'

'Normaal wel, maar dan moet je vader wél een bewijs tekenen dat hij niet in je onderhoud wil voorzien en dat doet hij ook niet.'

'Wat een onrecht. Zou je geen klaagbrief naar prins Bernhard schrijven?'

'Dat zal ook wel niet helpen. Hoe laat moet ik hier 's ochtends zijn, meneer?'

'Part-timer, hè, voor de ochtend?'

Ik knikte.

'Kwart voor acht stipt. Om twaalf uur krijg je twintig minuutjes vrijaf en dan kun je desgewenst van Joep een gratis maaltijd opgeschept krijgen. Om twee uur kun je dan je biezen pakken. 's Maandags heb je vrij. Joep legt je de werkzaamheden verder wel uit. Joep! Joep!'

Een man met een verkreukeld gezicht smeet een grote aluminium pan in een zinken tobbe en brulde: 'Hebben we daar de nieuwe jongen, chef-kokkie? Kijk eens aan. Nou, jij mag er wezen, jongetje. De naam? *Lothar*? Prachtig, jongen, die heb je in ieder geval mee. Laat de rest maar aan mij over, chef-kokkie.'

'Laat ik je er niet op betrappen, Joep, dat...'

'Dat heb ik u beloofd, chef-kokkie, gegarandeerd,'

onderbrak Joep de chef-kok.

Ik keek de chef-kok vragend aan. 'Dat is een zaak tussen mij en Joep, dat gaat je niets aan,' zei hij. 'Ga nou maar met Joep mee, die legt je alles uit.'

Ik begreep niet wat mij 'niet aan moest gaan'. Ik voelde een hand van Joep op mijn schouder die mij zachtjes in de richting van het spoelhok duwde. 'Zachte, mooie schouders,' zei hij.

'Hoe bedoelt u?'

'Wij doen hier je en jij; kom op.'

~

Meer dan vijf jaar zou mijn nederige carrière bij het warenhuis duren. Duizenden uren bracht ik tussen de stomende vaatwasmachines door; later zou ik 'bevorderd' worden naar enkele andere afdelingen van het concern. De eerste jaren zuchtte ik onder het regime van de dikke en steeds opgewonden mijnheer Terveld, de aardige chef-kok, die echter leed aan een misselijk gevoel voor humor, en Joep wiens leven zich langzamerhand voor mij als een tragikomische novelle begon te ontrollen. Mijn collega's in de spoelkeuken wisselden per week. Dan weer stond ik enkele weken met een oudere studente die op Rimbaud aan het promoveren was aan de vaat, dan weer met een drietal Marokkanen of met een gezelschap ontslagen loodgieters die 'voor de overbrugging een paar weekjes de afwas deden'.

Elke laatste zaterdag van de maand stelden het keukenpersoneel, de obers en de schoonmakers zich voor het kantoortje van Terveld in een rij op. Een ruimte ter grootte van een toilet. Terveld riep onze naam of functie af: 'Chef-kok, wees er zuinig op', 'Lothar, wees er zuinig op', enzovoorts.

Als Terveld klaar was, schonk Joep koffie op de vleesbok uit en keken wij in onze loonzakjes. Honderdtachtig gulden zat er de eerste jaren in, later bijna honderdachtennegentig. De chef-kok keek nooit in zijn zakje. Joep wel; hij telde zijn geld nauwkeurig op de roodbebloede bok uit.

'En, Joep, hoe ver ben je?'

'Nog achtenzestig van deze zakjes en ik kan dat autootje de mijne noemen,' zei Joep glunderend.

Joep woonde bij zijn moeder en spaarde al zo lang als de langst aangestelde in de keuken zich kon herinneren voor een autootje.

De sous-chef vertelde op een keer toen hij mayonaise draaide: 'Zijn moeder is wat ziekelijk en Joep heeft maar één droom: dat hij met zijn moeder op zondagmiddagen kan gaan toeren. Ik begrijp niet dat die man niet af en toe een graai in de kas doet. Hij verprutst zijn hele leven met dat gespaar. Ik zou 't al lang op een stelen gezet hebben. Die man heeft buiten zijn moeder niets en niemand.'

Joep had echter wél wat. Op een middag vertelde hij mij zijn leven.

5

'Kom je bij me zitten in het voorraadhok?' vroeg
Joep.

Joeps hok was gesitueerd in de kelder naast de
elektromotor die de lift met geretourneerd voedsel –
dat in stinkende tonnen door een boer als varkens-
voeder werd afgehaald –, nieuwe voorraden en lege
flessen in beweging hield. Joep zette een kistje ondersteboven en sprak uitnodigend, en met een overdre-
ven weids gebaar: 'Neem plaats.'

'Gezellig,' zei ik om iets te zeggen.

'Moet je een frisje?'

Ik kreeg een cassis.

Joep vertelde: 'Je hebt het zeker al door, hè? Ik ben
een poot. In de keuken vinden ze het niet erg. Chef-
kokkie heeft gevaren, die heeft 'm overal ingestoken
waar hij in te steken viel. Vind je het vies? Nee toch?

Veel liefde is er in mijn leven niet geweest. Ik woon
bij mijn moeder, hè, ik kan geen kant op. Een keer in
de week komt de man van de cassis en dan maken we
een pijpje. Hier, op de plek ongeveer waar jij zit.
Constant, zo heet hij, is gewoon getrouwd, maar
komt in zijn huwelijk veel te kort. Heb jij 't wel eens
met jongens gedaan?'

Ik zweeg.

'En nou denk ik als ik eenmaal een autootje heb
dat ik Constant wel van zijn vrouw los kan weken.

Zelf heeft hij geen auto. Hij mag die cassis-kar natuurlijk in het weekeinde wel mee naar huis nemen, maar ik zie ons al met die rammelende vrachtwagen naar het strand gaan. Weet je dat ik écht de hoop heb dat als ik eenmaal mijn eigen wagentje heb dat Constant en ik samen een leven kunnen beginnen? Voor moeder is het natuurlijk ook leuk, komt die er ook nog eens uit. Dat mensje heeft van die vreselijke open benen. Ach, jongen, dat sparen. Er komt geen eind aan. Ik hoop zo dat ik de dag nog eens mag beleven dat ik Constant in mijn eigenste, glimmende karretje door de polder kan rijden. Kun je je mond houden? Kleppie toe?'

Ik zweeg nog steeds. Het was klam en benauwd in het hok.

'We pikken hier allemaal. Een beetje; niet erg, hoor. Chef-kokkie drukt soms een paar kilo biefstuk achterover die hij verkoopt. Hij wil zo graag een zeilbootje. Terveld lijkt het eerlijkst met zijn gluiperige kop, maar die jat als de raven. Die neemt soms een gros zwaar verzilverde lepels mee die hij bij een of andere vent achter de haven brengt die in oud spul handelt. Zo'n lepel levert toch gauw een gulden op. Pik jij eigenlijk?'

Ik volhardde in mijn zwijgen.

'Pik jij eigenlijk, vroeg ik,' drong Joep aan.

'Nou ja, een paar borden onder mijn trui. Gewoon voor thuis om van te eten. En verleden week een lepel, een vork en een mes.'

'Is dat alles?'

'Is 't niet genoeg?'

'Van dat armoesalaris dat je hier verdient, kan geen mens leven. Wat zal jij hier helemaal verdienen? Zal het niet honderdzestig gulden zijn, misschien een beetje meer?'

'Honderdtachtig gulden precies. Mijn kamer kost honderdtien en dan mijn studie. Maar ik vind boterhammen eten niet erg. 's Middags krijg ik hier toch warm te bikken.'

'Honderdtachtig! 't Is asociaal! Neem af en toe rustig een blik cornedbeef uit het hok mee. Ik zal je wel vertellen hoe je daar ongezien mee wegkomt. Zo'n groot blik brengt in een snackbar zo twintig pieken op. Heb je misschien zin in een lolletje. Gewoon even de feestneus uit de broek en bij elkaar van trekke-die-trek?'

'Nee, Joep, nee, écht niet. Hoe doe ik dat dan met zo'n blik? Langs de controle lopen, dat kán toch niet? Als ze je pakken, ben je hartstikke de pineut, tóch?'

'Luister, jochie, er gaat niks boven de mannenliefde en wat betreft dat blik: je stopt het in een tasje van de zaak, neemt de trap naar de parterre, trekt zo'n gezicht van wie-maakt-mij-wat en…'

～

Binnen een half jaar was ik een volleerde dief. Na de spoedcursus 'verantwoord ledigen van het warenhuis' (zoals Joep het pikken noemde), verfijnde ik het illegaal aanvullen van mijn salaris op allerlei manieren. Grammofoonplaten, Amerikaanse pockets, dikke plaatwerken, stropdassen en aftershaves ontvreemdde ik in steeds grotere hoeveelheden.

Joep vroeg op een keer toen ik kratjes met lege flessen in het hok stapelde: 'Overdrijf je niet een beetje?'

'Moet jij zeggen.'

'Nog steeds geen meisje, hè?'

'Ik heb Constant al een paar weken niet gezien. Ist-ie ziek?'

'Zijn vrouw is erachter gekomen, hij heeft beloofd dat 't over is en heeft voor de veiligheid een ander rayon genomen. Moeder is ook nog erger ziek geworden, die verpleging van haar kost mij handen vol geld. Af en toe moet ik toch met een zak sinaasappeltjes of een bloemetje aankomen. Ik kan mijn autootje voorlopig wel vergeten. Soms lig ik 's nachts te woelen in bed en dan denk ik: dit is een leven van niks. Kijk, jij gaat straks op een school les geven en dan verdien je goud geld. Ik kan geen kant op want ik heb niet eens mijn lagere school afgemaakt. Jezusmina, wat een uit- en uitzichtloos leven, denk ik wel eens. Handen vol kloven en nog een miljoen pannen te wassen voordat ik van mijn pensioentje kan gaan genieten. Nou ja: genieten, straks zit ik thuis met een habbekrats en je zal zien dat moeder dan nog steeds leeft. Ze is zwaar ziek, o ja! Maar je zal zien dat ik eerder de pijp uitga dan zij. Kom nou, Lothartje, een beetje feestneuzen. Even die warme kwak kwijt. Heb je dat niet voor je ouwe Joep over?'

～

Het was een leven zonder rock and roll in de spoelkeuken. Ik schraapte met mijn collega's duizenden tompouces, honderden halve uitsmijters en dozijnen afgekauwde kroketten per dag van de borden in de afvalton, vulde de spoelrekken met vaat en luisterde naar de gesprekken tussen mijn gebrekkig Nederlands sprekende collega's, de koks en het bedienend personeel. Aan het einde van iedere maand sprong de acute geldnood mij naar de keel en voerde ik mijn diefstallen op. Op een middag kwam ik thuis, beladen met gestolen goed. De grammofoonplaten zakten bijna onder mijn trui uit toen ik de slagerij betrad waarboven ik een kamer had gehuurd. Mijn norse hospes sjouwde een half varken de koelruimte in en bromde: 'Er ligt een telegram voor je op de trap. Ik heb liever niet dat je telegrammen laat komen, dat geeft zo'n paniek in huis.'

'Hoe kan ik nou andermans post tegenhouden, slager!' riep ik verontwaardigd.

'En toch heb ik liever geen telegrammen.'

Ik klom de steile trap op en opende het telegram. Ik las: 'We hebben een zoon. Ben gelukkig. Kom je gauw? Liefs, Mieke.'

Op de overloop voelde ik verdriet en geluk door elkaar. Ik wilde naar beneden rennen en tegen de slager roepen: 'Ik heb een zoon, slager,' maar realiseerde mij dat het kind geheim was.

En voorlopig geheim zou blijven. Ik wist zijn voornamen al: Lothar naar mij en Sandor omdat zíj dat zo'n mooie naam vond.

6

Een schattig ventje dat vanuit zijn ziekenhuisbedje levenslustig de zaal in keek. Negentien jaar, arm en dan al vader – ik had mij de wereld anders voorgesteld. Ik verkeerde in twijfel. Zou ik zijn moeder ten afscheid kussen en zeggen: 'Jammer, maar hier ben ik allemaal nog te jong voor' of het alternatieve vaderschap proberen te omarmen?

Ik koos voor het laatste omdat het zo'n leuk kereltje was. Het eerste jaar was er weliswaar herhaaldelijk het voornemen om op een nacht stiekem weg te fietsen, maar daarna kwamen de jaren van de vader-en-zoon gesprekken, het kopen van een reusachtige beer, de verbazing bij de apen in de dierentuin en de vakanties in Italië.

De armoede bleef. Het gejacht van het warenhuis naar de collegezaal en de bezoeken aan Sandor en zijn moeder, die in een andere stad woonden. De triviale problemen: een lekke band op weg naar zijn huis, terwijl ik hem beloofd had om extra vroeg te komen voor een bezoek aan de kermis.

De verjaardag van mijn eigen zoon, een groot geschenk in gedachten, maar dertig gulden rood op de bank. En dan natuurlijk de verschrikkelijke Terveld in de decembermaand: 'Ik kan je niet verplichten over te werken, maar als je het niet doet, weten wij hier wel een methode om je te lozen zonder recht op een werkloosheidsuitkering.'

Toch een weekje naar Engeland terwijl ik het eigenlijk niet betalen kon en soms kocht ik op een dag drie boeken. En natuurlijk wist ik het: uiteindelijk zou de deurwaarder komen.

Er kwam een tijd dat ik het getik met de trouwring op het raampje van de voordeur per deurwaarder kon determineren. Witteveen klopte vinnig in één tempo, Zijlstra gaf drie roffeltjes en daarna een zware tik, Ruling deed tappetebám!

En ik leerde snel, of toch juist niet. Deurwaarders worden nooit opengedaan, ze weten dat schuldenmakers de bel afzetten of er niet op reageren. Maar ze weten ook hoe ze je gek kunnen maken. De eerste jaren ben je naïef, dan denk je: als ik een aangetekende brief niet aanneem, weet ik juridisch gezien van niks. Het is niet waar: de molens van deur-waarders, incassobureaus en, uiteindelijk, rechtban-ken draaien door, of je de brieven nu wel of niet aan-neemt en openmaakt.

Lulverhalen. Urenlang tobben en ijsberen tot ik uiteindelijk Mieke durfde te vragen: 'Kun je mij dui-zend gulden lenen?'

'Duizend gulden! Waar moet ik die vandaan halen en waarvoor heb je die dan nodig?'

Nog meer lulverhalen. Het zachtjes liegen van: 'Nu ja, moet je zien, weet je…'

'Betaal het mij binnen zes maanden terug. Be-loofd? Daar kan ik toch op rekenen?'

De deurwaarders af. 'Daar zullen we Mantoua hebben! Het bedrag is natuurlijk wel een beetje ho-ger geworden. Verdubbeld eigenlijk. Hier heeft u de kwitantie.'

'Steekt u die maar in uw reet' en direct naar de boekhandel om voor tweehonderdzestig gulden boeken op rekening te kopen.

∽

Overal lenen, zeuren en de zaak bedotten. Een kleu-rentelevisie? Een kaartje naar het postorderbedrijf en binnen een week stond het apparaat aanmatigend te glimmen op mijn studentenkamer. Te voldoen in twintig gemakkelijke termijnen. Na twee maanden

de eerste brief: 'Geachte heer. U heeft bij artikel-
nummer zus en zo een aanzienlijke betalingsachters-
tand opgelopen. We stellen u voor de keuze het bedrag plus rente in één keer te voldoen of we geven de
zaak in handen van…'

Weer bij Mieke, in bed. 'Is er wat?'

'Nee, er is niks.'

'Wat is er dan?'

'Nou, weet je, als ik niet onmiddellijk duizend gulden aan tentamengelden op de universiteit betaal,
verklaren ze al de tentamens die ik tot nu toe gedaan
heb voor ongeldig.'

'Kan dat allemaal maar zo?' vroeg Mieke.

'Het is onvoorstelbaar: ja, ze *doen* het gewoon.'

Tweeduizend gulden bij Mieke in het rood. Op
een keer zei ze – grappig bedoeld, maar toch ook een
beetje gemeend – : 'Straks hebben we geen geld voor
luiers meer en zal ik Sandortje in kranten moeten
pakken.'

Op een avond zat ik te tobben tussen de ongelezen
boeken en keek naar een stapeltje ongeopende deur-
waardersexploten en enkele aanzeggingen. Ik besloot
aan mijn financiële wanbeheer nu voor eens en altijd
een eind te maken. Ik nam mij voor portiersdiensten
te gaan draaien in een dancing, uit de kas van een
studentenvereniging te gaan pikken en te gaan rom-
melen in de boeken van een hulpverlenende organi-
satie waar ik door een uitzinnige speling van het lot

penningmeester van was geworden.

Een week daarna zat ik bij Edje op zijn kamer. Hij zei: 'Het is lekker, jôh, één prikje voor de lol. Van één spuitje word je niet verslaafd, ben je gek!'

Van het eerste shot morfine werd ik misselijk. Van het tweede, derde en vierde ook nog, maar daarna kwam de euforie. Kon ik vóór dat vierde shot geen brief van een deurwaarder openmaken, nadat ik aan de morfine was geraakt, was het aangenaam om het pedante centenproza te lezen. Ook de stukken die mij vanwege het Openbaar Ministerie werden toegezonden, vormden lollige lectuur. Ik las de hoekige taal, die via carbonpapier meestal een regeltje te laag of te hoog op het papier terecht was gekomen, met een soort mildheid van: nou dát weer, verkreukelde vervolgens de juridische uitnodiging en gooide haar op het platje waarop mijn kamerraam uitzicht bood.

Een vriend die zich zorgen maakte, bood aan om een fonds te stichten. Hij wilde weten hoe ik toch zover gekomen was: morfine en schulden. 'Wat was er eigenlijk eerder: de schuld of de morfine?' vroeg hij.

'De schuld. In velerlei opzicht, overigens. Vind je het erg wanneer ik een beetje over mezelf doorzeur?'

Mijn vriend schudde zijn hoofd.

'Schuld, jongen. Ik zit er stampvol mee. Niet met de schuld van pegels, geeltjes en roodjes, maar die rare schuld van binnen. Het eerste dat ik in mijn leven stal was een zakmes. Niet omdat ik zo graag een zakmes wilde hebben, maar omdat ik mijn vader miste. Ik ben sedert hij het ouderlijk huis verliet op zoek naar hem geweest. Gillen of schreeuwen hielp niet, stelen wél. Ik hoor mijn moeder nog huilen: "Hoe kun je mij dit aandoen: mijn eigen zoon een dief!" terwijl ik dacht: hoe heeft u mijn vader weg kunnen doen?'

'Klinkt zwaar psychologisch. Heb je soms ook een pocket over psychologie gestolen? Heb je nog iets te drinken?'

'Nee, geen geld. Maar wat ik zeggen wilde: ik leef in een soort permanent protest tegen de wereld. Ik pik weliswaar het verkeerde terug – ik steel links en rechts als de raven en betaal het liefst nooit een rekening – maar ik ben op zoek naar mijn vader. Ze moeten hem aan mij terugbetalen.'

'Wie moet hem terugbetalen?'

'De wereld.'

'Die is nogal groot. Wat heeft de wereld er eigenlijk mee te maken dat je ouders gescheiden zijn en dat je vader verdwenen is? Wat ik helemaal niet begrijp, is de link tussen dat gedoe met die naalden, je financiële escapades en je vader.'

'Als ik aan mijn vader denk, zie ik een onbetaalde rekening voor mij.'

'Je bent zelf vader, nietwaar, al hoor je dat niet graag.'

'Ook al weer zo'n onbetaalde rekening.'

7

De rekeningen van verzendhuizen en boekhandels, de leningen bij vrienden stapelden zich op. In de spoelkeuken brak een rassenoorlog uit. Terveld had partij voor de blanken gekozen en ik voor mijn gekleurde collega's. De Marokkaanse en Turkse bordenwassers trokken echter niet één lijn en gingen elkaar met tafelmessen te lijf. De chef-kok bemoeide zich er op een stervensdrukke vrijdagmiddag mee. Enkele seconden na zijn poging tot vredestichting lag hij bloedend en steunend tegen de mayonaisemachine aan. Terveld rende de keuken binnen en schreeuwde: 'Ze hadden die klootzakken bij hun geiten moeten laten!' Ik brulde terug: 'U heeft uw oordeel direct al klaar, zoekt u eerst die zaak eens uit of belt u liever een dokter.'

De sous-chef had de medische dienst van het warenhuis al gebeld. Een verpleegster, die er erg trots op was dat ze eindelijk eens iets te doen had, zei: 'Het valt reuze mee, het lijkt altijd erger.' Later op de middag werd er een Marokkaan op staande voet ontslagen, stond de chef-kok al weer in de pannen te roeren, stampte Terveld met een rood hoofd door de keuken rond en stond ik zwaarmoedig slagroompunten van gebakbordjes te schrapen.

'Wat sta jij nou weer te jammeren,' vroeg Terveld geïrriteerd, 'alsof we vandaag al niet genoeg gedonder hebben gehad.'

'Ik kan er niet meer tegen. Het lijkt hier wel oorlog.'

Ahmed en Mohammed spoelden rustig door, terwijl ze bijna toonloos neurieden.

'Zijn die twee knullen nu ook al bezig geweest? Wat hebben ze gedaan?'

'Ahmed en Mohammed hebben er niets mee te maken.'

'Dat is maar goed ook, want anders flikkerde ik ze er direct uit. Wat is er dan aan de hand?'

Ik kon alleen maar verder treuren.

'Neem voor de rest van de dag maar vrij; ik hoop dat je volgende week weer een beetje steviger in je vel zit.'

Ik haalde de theedoek van mijn schouder, ontdeed mij van het schort, groette Ahmed en Mohammed, nam afscheid van de chef-kok, kneep Joep in het voorbijgaan in zijn arm en verliet het warenhuis. In de Zwartesteeg stroomden de tranen over mijn wangen.

~

Mijn beste studievriend voelde 's avonds mijn pols. Ik was bij hem en zijn vriendin, een gediplomeerd hoofdverpleegster, op bezoek. Hij keek in mijn ogen en zei: 'Volgens mij ben je gewoon overspannen; iets anders kan ik niet vinden. Zou er niets te bedenken zijn om jou uit die spoelkeuken weg te krijgen? Zou je niet afgekeurd kunnen worden en een invaliditeitsuitkering aan kunnen vragen? Wat is dat eigenlijk op je arm, vlooiebeten?'

'Geloof van wel ja.'

'Dat zijn helemaal geen vlooiebeten, Paul,' riep zijn vriendin, 'die jongen spuit!'

'Is dat zo?'

Na een lange stilte schonk Paul iets in. Paul keek in de lamp, zijn vriendin verfrommelde een servetje.

'Daar moet je zo gauw mogelijk van af, jongen,' zei Paul.

'Ga in godsnaam naar een psychiater of tenminste naar Harko; je móét iets ondernemen voordat je helemaal aan die rommel onderdoor gaat,' zei zij.

Harko was een bevriende huisarts die ik dezelfde avond nog belde. Toen ik liegend en hakkelend mijn toestand probeerde uit te leggen, griste Paul de hoorn uit mijn hand en sprak kordaat: 'Ben jij dat Harko? Die jongen is een addict als wat. Er moet gauw wat gebeuren, desnoods sluit je hem met een kz'tje voor een tijd op. Kan hij vanavond nog komen? Oké, ik breng hem wel even bij je langs. Je weet hoe die addictieven zijn: ze beloven dat ze komen, maar ze zijn in werkelijkheid al weer op weg naar het volgende intraveneusje.'

Harko luisterde. Hij leunde hoofdzakelijk achter-over. Af en toe schonk hij koffie in. Veel vroeg hij niet, eigenlijk uitsluitend dingen als: 'Heb je het op dit moment koud?', 'Weet je hoeveel milligrammen?' en: 'Je spoot toch niet vóór de geboorte van die jon-gen?'

Nadat ik met horten en stoten mijn verhaal had verteld, vroeg Harko: 'Zijn moeder gebruikt toch niet?'

Ik schudde nee.

'Dat is dan het enige gunstige dat ik vanavond ge-hoord heb. Jezus, jongen, wat zou je willen? Zeg 'ns.'

Ik haalde mijn schouders op.

'Is er bij dat warenhuis bijvoorbeeld geen ander werk te doen? Werk waar je aan minder spanning onderhevig bent.'

'Heb ik al zo vaak gevraagd, maar de personeels-chef zegt steeds: spoelen of anders oprotten, voor jou zo een dozijn van die half-Aziaten, die nog minder dan de helft kosten óók.'

'Ik schrijf wel een brief en nu gaan we het over die verslaving hebben. Daar gaan we rigoureus tegen-aan.'

'Schei toch uit, daar kan ik zo van af. Kleine moei-te. Ik ben niet zo'n verslaafde die pikt en jat of zo'n opiumchinees, een week mijn koppetje erbij en ik ben helemaal schoon. Ik wil me gewoon lekker en rustig voelen…'

'Je steelt niet?'

'Ach, ik haal dat warenhuis een beetje leeg, maar dat doet iedere werknemer daar. En wat maakt het uit? Uiteindelijk draaien de klanten ervoor op. De aandeelhouders eten er geen boterhammetje minder om.'

'Je weet wat een veroordeling later voor je carrière kan betekenen?'

'Ik wil geen carrière! Waarom zou ik? Wat moet een halve en mislukte vader, die zijn eigen vader kwijt is, met een carrière?'

Harko keek mij aan; de tranen begonnen weer over mijn wangen te rollen.

Harko troostte: 'Rustig, rustig. Zou een psychiater niet iets voor je zijn. Dat hoeft geen jaren te duren, gewoon voor een paar maanden om de ergste schokken op te vangen?'

'Als je maar niet denkt dat ik ook maar één keertje naar zo'n hersenleger ga! Ik heb er dankzij mijn ouders in mijn jeugd al genoeg meegemaakt. Nooit zet ik meer een stap bij zo'n klootzak!'

'Waar jij aan denkt, aan dat soort psychiatrie, die bestaat al lang niet meer. Jij lijkt mij typisch iets voor een *analyse*; je bent slim, je hebt ze op een rijtje en dat gedoe van Freud en zo moet jou juist intellectueel aanspreken. Je kunt ermee ophouden wanneer je wilt. Probeer het 'ns een paar keer… Misschien wil de psychiater die ik voor ogen heb niet eens. Het is in de psychoanalyse nu eenmaal zo dat zowel de behandelaar als de behandelde elkaar moeten zien zitten. Heus! Sla niet iedere uitgestoken hand af.'

Ik kwam op het speelgoedmagazijn van het warenhuis terecht.

Ik fiets op een middag naar Gortzak, psychoanalyticus met een snor.

8

Gortzak hield praktijk in een bovenkamer van zijn woonhuis aan een rustige laan. Ik fietste er op een middag heen en mij werd door een saaie intercomstem, via de deurpost, gevraagd of ik in een kamertje rechts van de trap wilde wachten. Terwijl ik de trap opliep, schoot er een grote zwarte kater voorbij.

Er stonden twee rotanstoelen en aan de muur hingen treurig beletterde affiches waarop allerlei organisaties hulp aan in geestelijke nood geraakten aanboden. Ik keek tien minuten naar de affiches en schoof daarna een vitragegordijn voor het venster weg. Het was rustig op straat. De bomen bewogen niet en de zon maakte hier en daar een plekje op het wegdek geel. Aan de hemel dreven de wolken langzaam voorbij. Even langzaam fietsten scholieren naar huis. Jongens en meisjes met dikke tassen achterop. Ze leken plezier te hebben. Sommige jongens waren in een wedstrijd met elkaar verwikkeld, anderen peddelden naast meisjes. Opeens zag ik een jongen afstappen, het meisje dat naast hem fietste, deed dat ook. Ze omhelsden elkaar; de jongen stak zijn tong in haar mond. De wolkenhemel brak open. De straat lag plotseling in een lawine van helder geel te kijk.

'Mantoua?' vroeg de stem.

Ik keerde mij om. In de deur stond een man met een snor. Netjes, een beetje burgerlijk gekleed. 'U bent de psychiater? Zegt u maar Lothar,' zei ik.

'Dat laten we van het een en ander afhangen. Komt u maar.'

'Zegt u maar *je*.'

'Ook dat hangt van het een en ander af. Als u daar zou willen gaan liggen, met de schoenen op het plastic, graag. Als u wilt roken, de asbak staat daar.'

'Liggen! Ik heb niks aan mijn rug, hoor!'

''t Is beter, voor de nodige gespreksrust, gelooft u mij maar; rustig liggen, lekker achterover, trekt u dat kussen maar onder uw hoofd, doet u maar.'

'Ik ga niet liggen, mag ik op die stoel zitten?'

Gortzak keek mij onderzoekend aan en zuchtte: 'Nou, dat moet dan maar. Als u één ding wilt onthouden: ik ben er voor *u*, we gaan samen alles te lijf wat niet goed zit in uw hoofd. Sámen, hoort u?'

'Ja,' zei ik.

'Goed. Tweeëntwintig jaar, student. Gebruiker sedert enige maanden – nietwaar? – van morfine. Eén zoon, niet getrouwd. Verdere medicatie Seresta, Nobrium – acht milligram –, diverse slaapmiddelen en anti-tremor-tabletten. Dat klopt?'

Ik knikte.

'Waar zullen we beginnen. Uw vader én u als vader – ligt daar het probleem als ik vragen mag?'

Ik keek een beetje schuins achter mij en zag rijen boeken in dezelfde band: Jung, Freud en verder veel ander geleerd Duits. 'Hoe heet uw kat eigenlijk?' vroeg ik om zelf een opening te forceren; om direct met vader-zoon verhoudingen te openen leek mij iets te zwaar.

'Waarom vraagt u dat?'

'Nou, ik zag die kat van u langs mij schieten – hij is toch van u? – en toen dacht ik: hoe zou een psychiater zijn kat noemen? Sigmund, Carl?'

'U moet, nogmaals, goed begrijpen: ik ben er voor u, voor u alléén. We gaan aan u werken en daarin is geen plaats voor de kat.'

'*De* kat? Niet *uw* kat? Hoe heet-ie nou?'

'Wat kan voor u het belang zijn om de naam van die kat te weten?'

'Geen enkel, natuurlijk, maar als ik hem of haar nog een keer zie, kan ik hem of haar gedag zeggen.'

'Zoeken naar warmte en vriendschap…' merkte

Gortzak half vragend op.

'Vriendschap, warmte! Of ik met uw kat naar bed wil. Laat me niet lachen! Ik wil het merk van iemands auto weten en soms ook de naam van zijn kat.'

'Een beetje agressie?'

'Agressie! Krijg de klere! Ik hóéf die naam van die kutkat al niet meer te weten! Begin maar direct in mijn hersens te peuteren, ik vraag het beest zelf wel naar zijn naam.'

'U vraagt in een café altijd naar de naam van iemand die u aanspreekt?'

'Wat krijgen we nou! Was ik maar nooit over die kat begonnen. Ik ga bijna nooit naar het café en namen hoef ik überhaupt niet te weten! Gewoon even die naam zeggen, jezusnogantoe, laten we ophouden over dat dier!'

'Waarom heeft u eerst naar de naam van mijn kat…'

Ik onderbrak de psychiater onmiddellijk: 'Toch *uw* kat!'

Met een verbeten gezicht vervolgde Gortzak: 'Waarom wilt u eerst de naam van de kat weten, terwijl u niet eens naar mijn naam heeft gevraagd. Verlegenheid?'

'Rot op! Uw naam stond toch gewoon op de deur.'

'Maar niet mijn voornaam.'

'Die hoef ik ook niet te weten.'

'Wéér die agressie, was er vroeger agressie thuis?'

'Ja, een boel; en we hadden twee poezen thuis:
Poekie en Blacky.'

~

De therapie zou jaren in beslag nemen. Soms fietste
ik wel vijf keer per week naar het huis aan de stille
laan. Het kwam af en toe voor dat ik bijna niets zei.
Gortzak keek mij dan gedurende de sessie (zo noemde hij de vijfenveertig minuten) aan en sprak als de
tijd voorbij was: 'Morgen, twee uur, zou dat schikken?'

Soms zei ik helemáál niets. Dan hoorde ik uitsluitend mijn eigen getrek aan een sigaret en op een gegeven ogenblik verbeeldde ik mij zelfs dat ik het ge-
knipper van Gortzaks ogen kon horen.

Psychische moeilijkheden, evenals het lijden aan
melancholie, zaten niet in het ziekenfondspakket.
Tenminste: niet helemaal. Als eigen bijdrage aan de
therapie moest ik per sessie vijfentwintig gulden aan
Gortzak overmaken. Ik verdacht hem ervan dat hij,
direct nadat ik zijn behandelkamer verlaten had, aan
de rekening begon te typen, want meestal lag de volgende dag zijn nota al in mijn brievenbus. Zwijgen of
drie kwartier volpraten, dat maakte hem niet uit:
vijfentwintig gulden per sessie. Een bedrag dat mij in
de loop der jaren meer en meer ging ergeren. Vooral

omdat ik er financieel nog slechter voor begon te staan. Mijn verbanning naar het speelgoedmagazijn had namelijk als gevolg dat ik er een paar tientjes per maand op achteruitging, terwijl het aanschaffen van de verzamelde werken van Freud en Jung zwaar op mijn portemonnee drukte. Na een jaar van geklep en geanalyseer begon ik Gortzak te haten. Toen ik hem dat op een keer vertelde, sprak hij opgelucht: 'Goed zo! Dan zijn we eindelijk op de goede weg!'

9

Het speelgoedmagazijn stond aan een uitgestorven gracht. Deze gracht had iets geheimzinnigs: er woonde een ander soort mensen dan in de rest van de stad, het water kleurde er vreemd, zilverachtig en er heerste nagenoeg geen bedrijvigheid. Behalve dan in het grote, sombere gebouw waar op de parterre uitsluitend kratten en transportwagentjes stonden. Op de eerste etage waren de matrassen, bedden en kasten opgeslagen, op de tweede waren de rekken gevuld met levensmiddelen en op de hoogste etage lagen dubbelstekkers in duizendtallen, armaturen en speelgoed.

Op een ochtend fietste ik om acht uur langs de vesten naar het magazijn. Ik bonkte op een verveloze ijzeren deur.

'Joehoe!' riep een mannenstem. De deur werd langzaam opengetrokken en een korte man met een geruite pet vroeg: 'Wablief?'

'Ik ben Lothar Mantoua en ik moet hier komen werken.'

'Moeten? We moeten hier niks, hoewel: geen mens werkt voor zijn plezier. Ik ben Van der Beest, de chef, en…'

Van der Beest zette zijn handen aan zijn mond en schreeuwde: 'Kamperfoelie! Kamperfoelie! Het patiëntje is gearriveerd, de sociale werkplaats kan geopend worden, kun je effe komen!'

Ik zette mijn fiets tegen een bijna geheel uit glas bestaand inpandig bouwsel dat uitzicht bood op alle hoeken van de parterre. Tegen de buitenkant was een prikklok bevestigd met daarnaast een bakje waaruit een twintigtal kaarten stak.

Van der Beest keerde zich weer naar mij om, nam mij van boven tot onderen op en sprak korzelig: 'Kijk, Padua…'

'*Mantoua*,' onderbrak ik de chef.

'Kijk, *Matoewáá*, dat ze op het hoofdkantoor maar denken dat het afval hier gezet kan worden, is een behoorlijke misrekening. Als er eentje op maandag uit zijn bol gaat in die spoelkeuken, weet ik dat die betreffende persoon dinsdag hier voor de deur staat. Dat bevalt mij niet. Aan zenuwpeesjes hebben we hier niks. Wat er in het warenhuis gebeurt, dat kan iedere boerenlul. Moet het prijsje eraf? Is het een cadeautje? Dat is dan twee gulden vijftig… Een verantwoordelijkheid die iedereen aankan, maar hier werken we aan de basis. Als wij niet leveren, hebben ze in die verkoophut geen donder om te verkopen. Als wij hier niet de prijsjes erop knallen, weet geen mens in die ballentent zich daar raad! Een magazijn is de trots van iedere verkooporganisatie en daar zouden ze op het hoofdkantoor 'ns aan moeten denken. Ha, Kamperfoelie, ben je daar, hier is-tie dan, hoe zei je ook weer?'

'Mantoua, meneer.'

'Deze Mantoua komt op het speelgoed werken, zou jij hem willen instrueren? En hou 'm in de gaten, je weet hoe die druggebruikers zijn.'

Kamperfoelie sloeg zijn arm om mijn schouder en zei: 'Loop maar mee, we gaan met de lift.'

De lift was een bak die bestond uit ogenschijnlijk haastig aan elkaar gelaste ijzeren platen. Kamperfoelie haalde een handel over en met een gekraak van metaal op metaal zette de goederenlift zich langzaam in beweging. Aardige ogen had Kamperfoelie, een te zachte stem voor een magazijnmeester.

'Je moet maar niet van de chef schrikken. Die noemt elke jongen met lang haar een druggebruiker, jij lijkt mij verstandig genoeg om je niet aan die rommel over te geven. Hoe oud ben je? Ik heb een jongen die ongeveer even oud als jij moet zijn. Mijn jongen studeert hier; jij ook, hè, heb ik gehoord. Kom, we zijn d'r.'

'Is hij daar?' hoorde ik twee vrouwenstemmen uit de stellingen opklinken.

'Ja, dames, kom even kennis maken.'

'Heeft ie echt zulke lange haren,' vroegen de aanklepperende dames toen ze nog niet in het zicht waren.

'Overtuigt u u zelf,' antwoordde Kamperfoelie gemaakt pedant.

'Wat een schatje,' kirde de ene dame; ze was van middelbare leeftijd en voorzien van een gulle lach.

'Ach Jezus, vel over been, die moeten we bijvoederen,' riep de andere dame die iets jonger en slanker was.

'Als jullie nou voor…'

'Zegt u maar Lothar.'

'Als jullie nu voor Lothar en jezelf een kopje koffie halen, dames, dan leggen we hem straks met z'n drieën het werk uit en dan kunnen jullie over een kwartiertje weer aan de slag.'

'Oké Kampie!' antwoordden de dames blijmoedig.

~

Binnen enkele maanden zat ik één keer per week in de bus naar een plattelandsgemeente waar ik 's avonds in een gymnastiekzaal de cursus Kleinvak Speelgoed en Kantoorbenodigdheden volgde. (Van der Beest: 'Je gaat op die cursus of ik zorg dat je binnen een maand op straat staat! Gesnopen?') Ik bekwaamde mij in boekhouden, het mechanisme van nietmachines en het functioneren van opwindberen en dronk in de pauze van de cursusavond koffie met filiaalhouders van speelgoedconcerns en eigenaren van kantoorboekhandels. Een speelgoedverkoper uit Rijpwetering vroeg: 'Wil jij verder in het speelgoed? Eigen zaak zeker in de toekomst?' Een kantoorboekhandelaar uit Gouda vertrouwde mij toe: 'Stelen in onze branche is een probleem. Al die kleine dingetjes zijn bijzonder jatgevoelig, hoeveel perforators ik per jaar niet, onverkocht en wel, moet afschrijven, daar heb je geen weet van!'

Ik had er wél weet van, want nog geen twee weken na mijn toetreding tot de kantoorboekhandelbranche had ik een levendige handel in gestolen klappers, punteslijpers (bureaumodel), vollederen schijfsets, enzovoorts. Het kwam door bittere noodzaak dat ik tassen vol kantoorartikelen in jutezakken uit een achterraam aan een touw liet hangen en 's avonds ophaalde.

Ik hing vroeg in de ochtend aan de toog van café Het Gewei toen eigenaar Herman op mij afstapte en vroeg: 'Wanneer gaan we de rekening 'ns betalen?'

Ik haalde mijn schouders op, dacht na en zei:

'Smijt mij er maar uit, ik heb geen cent te makken.'

'Dat hoeft niet zo. Je werkt toch op dat magazijn? Weet je: ik kan wel wat kantoorspulletjes kwijt, bij mezelf en bij wat relaties, als jij nu eens…'

Herman deed kort daarna een bestelling en zou dat gedurende lange tijd blijven doen. Ik kreeg gewoon opdrachten van: 'Twaalf nieters, veertig opbergmappen (folio), multomappen (zoveel mogelijk), wat gemengd speelgoed voor mijn kinderen (inclusief batterijen).'

Kamperfoelie op een middag in de lift: 'Het lijkt wel of mensen die nietmachientjes tegenwoordig opvreten, ze zijn niet aan te slepen.'

'Ze gaan inderdaad ongelooflijk snel,' zei ik.

'Als ik je niet zo goed kende en aardig vond, zou ik denken dat we een dief in huis hadden.'

'Ha, ha, die Kampie,' lachte ik en fietste in de late middagschemer naar huis. Er lagen strepen okergeel tussen de duistere wolken. Als ik hard fiets, ben ik voor de regen thuis, dacht ik.

10

Drie, soms vier dagen bracht ik bij de kleine jongen en zijn moeder door. Na de luiers kwamen de gesprekken en er was het voordeel dat ik die dagen enigszins behoorlijk at en goed sliep. We spoten samen, maar zij wist het niet van mij en haar gebruik was op medische indicatie: ze leed aan suikerziekte. De dagen bij moeder en kind regen zich in gedegen saaiheid aaneen: uitstapjes naar zee of 's winters de stad in om uitvoerig boodschappen te doen. Ze zag een mooi tafeltje bij Pander staan en vroeg: 'Hoe zit het eigenlijk met het terugbetalen?'

'Je bedoelt?'

'Ik begin een beetje krap te zitten en je zou al met terugbetalen begonnen moeten zijn. Ik wil daar niet over gaan zeuren, maar ik raak echt een beetje in de problemen. Dat tafeltje kan ik hier wel laten staan, maar de huur kan ik niet nog twee maanden ophouden. Dan worden we op straat gezet en waar zou ik in godsnaam met die jongen heen moeten?'

Onze gezichten weerspiegelden zich in de etalageruit; Sandor had zijn rechterpink bijna helemaal in zijn neus gestopt. Houd je zeurkop, wijf, dacht ik, we gaan toch niet zeiken over een tafeltje terwijl ik zit te springen om een shot.

'Hoe dacht je 't op te lossen?' drong ze aan.

'Gaan we nou poffertjes eten,' zeurde Sandor.

'Ik weet niet of dat er nog in zit, jochie. Als je vader mijn geld niet teruggeeft, worden het droge boterhammen.'

'Goed, op weg naar de poffertjes; ik zal 'ns kijken hoe we dat met die centen op kunnen lossen,' besloot ik resoluut. Een half uur later zaten we met zijn drieën van onder tot boven onder de poedersuiker.

'Pas nou op, kleine smeerkees,' zei Mieke kwaad en gaf Sandor een klap toen hij op het punt stond een poffertje tegen het plafond te smijten.

'Je slaat die jongen godverdomme niet!'

'Eén klapje doet minder kwaad dan de komende maanden honger,' zei ze hatelijk.

'Sandor! Alle poffertjes tegen het plafond, hup-sakee!'

'Mag het echt, mag het?'

'Als je het durft, ga je als we straks thuis zijn linea recta naar bed.'

'Smijten, Sandor!'

'Ik wou dat ik dat kind had laten wegmaken.'

Het eerste poffertje bleef hangen in het binnenwerk van een glas-in-loodarmatuur.

'Het poffertje geeft licht,' schaterde Sandor.

Mieke riep met een van tranen verstikte stem: 'Ober! Mogen we afrekenen?'

∽

Het werd prachtig, we vonden het toen tenminste allemaal schitterend en fantastisch: drank en drugs. Mieke was aan de goedkope sherry en ik zat op de wc te prikken. (Gortzak: 'En hoe zit het met de morfine?' Ik: 'Ben er bijna van af, dokkie.' Hij: 'En dat menen we?' Ik: 'Dat menen *we*.') Sandor rammelend aan de deur: 'Ik moet pissen, doe open.'

'Even wachten, jongen.'

'Ik moet zo nodig.' Sandor kon met zijn vingertjes tussen de drempel en de onderkant van de deur door: 'Zie je mijn vingers? Ik pis in mijn broek hoor.'

'Ik ben zo klaar, houd 't nog effetjes op.'

'Zit je te poepen? Het duurt zo lang.'

Het warme gevoel dat door mijn bloed trok. 'Kom maar en pis niet naast de pot.'

Mieke rolde in de woonkamer met haar ogen. Ik stapte, vervuld van een geluksgevoel, naar binnen en vroeg: 'Zullen we vanavond in de stad gaan eten?'

'Er is geen geld.'

Er was inderdaad geen geld meer. Sandor begon meer en meer te leven op de kosten van Miekes moeder. Over ons sprak ze op een zaterdagmiddag, terwijl ze een tas met blikken, een heel bruin en groenten op het aanrecht zette: 'Eigenlijk ben ik gek dat ik voor jullie volwassen mensen voedsel loop aan te slepen, maar ik kan het niet aanzien hoe die kleine verwaarloosd wordt. Dat kind ziet er als een geest uit en is al maanden niet lekker! Het is een schande en jullie mogen blij wezen dat ik de kinderbescherming niet inschakel.'

'Sandor is nooit ziek, ja, een beetje verkouden af en toe,' zei ik kwaad terwijl ik in de tas keek.

'Die jongen mankeert niets,' zei Mieke. 'Heb je ook iets voor op de boterham meegenomen, moeder?'

'Pekel en ros. En leg het direct in de ijskast. Ik ga; ik kan dat hier niet langer aanzien.'

'De ijskast is ontploft, oma,' kakelde Sandor enthousiast.

~

Als ik terugkeerde naar mijn huurkamer of het speelgoedmagazijn was de financiële toestand weliswaar niet beter, maar tenminste rustiger. Gortzak pookte de ellende echter tijdens de sessies voortdurend op.

'Een kind hebben geeft een bepaalde verantwoordelijkheid.'

'Als ik u niet elke keer die vijfentwintig gulden zou moeten betalen, zouden we een stuk minder krap zitten.'

'Ook psychiatrische hulp maakt deel uit van dat stuk verantwoordelijkheid. Je moet zelf verantwoordelijk zijn voor je psychische huishouding. Als het in je hoofd allemaal weer marcheert, weet je dat je daar zélf zorg voor hebt gedragen, dat je daar je éígen aandeel in hebt gehad.'

'*Stuk, psychische huishouding*, praat een beetje normaal, man.'

'Weer die agressie!'

''t Is geen agressie, ik bedoel…'

Gortzak zei niets, keek mij indringend aan.

'Leest u wel eens. Literaire boeken, romans?'

Gortzak ging een beetje verzitten, antwoordde niets, maar gaf een kort, bemoedigend knikje met zijn hoofd.

'Er zijn van die boeken waarin ik mezelf herken, of liever: waarin ik mijn vader tegenkom. Niet zoals hij was, maar zoals hij had moeten zijn. Ik heb mijn vader gehaat om het feit dat hij niet was zoals de vaders van vriendjes op school. Die hadden normale vaders met wie ze op vakantie gingen, lange fietstochten gingen maken. Zoals ik nu soms, tegen beter weten in, over mijn vader denk, zo heeft hij nooit bestaan. Het was een gek. En wat ben ik nu zelf als vader, Gortzak? Weet u wat ik ben? Weet u dat?'

Gortzak knikte indringender; ik dacht in zijn ogen een opgewekte tinteling waar te nemen. 'Een absolute klootzak ben ik. Wat heb ik van mijn eigen jeugd geleerd? Niks, meneer de psychiater. Het gekloot van vroeger houd ik zelf nog steeds aan de praat. Ik kan net zo goed dood zijn.'

Gortzak ging staan, haalde diep adem en sprak nogal plechtig: 'We staan voor een grote doorbraak, we zijn er bijna, we kunnen heel tevreden zijn. Morgen om twee uur, zou dat schikken?'

11

De verzulting van de hersens van een druggebruiker. De taal, het lijzige spreken, het monomaan-trage dansen en het nodeloos uitdijen van conversaties. En het ergste: het verliezen van elke interesse, behalve dan die ene: hoe kom ik vandaag aan mijn shots? Het verval gaat veel sneller dan de gebruiker zelf denkt of voelt. Saul vroeg eens, goed bedoeld: 'En hoe gaat het met de kleine Sandor, zie je hem nog regelmatig?'

'Wat kan die jongen mij nou nog schelen, lullebak!'

'Ik dacht dat je nogal op 't ventje gesteld was.'

'Waar moet ik christenegod naalden vandaan halen?'

Saul keek mij verbaasd aan: 'Die kon je toch altijd gewoon halen bij de medische-artikelenzaak bij de Paardenbrug?'

'De verkoper daar koestert zeker verdenkingen, want pas zei hij dattie nog nooit een medisch student over de vloer had gehad die zoveel naalden nodig had als ik. Hij zei dattie helemaal niet geloofde dat ik medicijnen studeerde, vooral omdat de universiteit voor experimenten naalden via de faculteit verstrekt en dat ik er zodoende beter aan deed mij niet meer te laten zien. Hij zei ook nog dat hij er geen politiewerk van wilde maken, maar dat hij hoe dan ook geen gedonder wilde hebben. Mooi klote, dus.'

'En wat nou?'

'De dorpen in de omgeving af, de apotheken af-stropen en zeggen dat ik suiker heb. Of naalden van Mieke pikken. Suikernaalden zijn wel iets anders, maar na een beetje oefenen moet het lukken.'

~

De droefheid van het junkiebestaan. Enerzijds het onverdraaglijke begrip van Gortzak – hij was mij zelfs zonder discussie met je en jij gaan aanspreken – en anderzijds zijn gezeur: 'We hadden beloofd ermee op te houden, Lothar. Dat hadden we belóófd! We hebben met elkaar enkele afspraken gemaakt. We zouden elkaar niet voor het lapje houden…'

'Voor het lapje houden, had je nog meer truttig-heid in voorraad, hersendokkie?'

'Ik bedoel: afspraken die glashard zijn. Ik zou met jou werken, jij zou ophouden met die drugs. Geen morfine, geen pillen, niets. Het heeft geen nut om ons af te vragen wat er precies met je aan de hand is wanneer je half verdoofd hier in de stoel zit. De geest moet *clean* zijn, helder.'

'*Ons,* hoe bedoelt u, bent u soms ook in de war? En waarom zou ik eigenlijk *clean* moeten zijn? Ze be-handelen mensen met een concentratiekampsyn-droom toch ook met lsd, die mogen op kosten van de staat een beetje lekker weg liggen trippen.'

'Over zulke tragische gevallen zou ik niet zo lucht-
hartig willen spreken en verder heb jij nu eenmaal
geen concentratiekampsyndroom.'

'Wat heb ik dan wél? Ik heb er nu hier zo'n tweehonderdvijftig sessies op zitten en ik voel mij nog
geen kloot beter. Al dat gelul heeft mij nou bij elkaar
– effetjes rekenen – bijna zevenduizend gulden ge-
kost…'

'Zesduizendtweehonderdenvijftig gulden,' corrigeerde Gortzak.

'Oké. Toch ook een bom duiten, maar wat ben ik
ermee opgeschoten? Geen snars, *brainworker*. Ja,
mijn vader, die zal de schuld van alles zijn. Ik kan
langzamerhand een boek over hem schrijven, wat
zeg ik: wel tien boeken, maar wat dan nog?'

'Schrijven, dat zou een goed idee zijn. *Van je af
schrijven*, noteren, bevrijden, losmaken.'

'Ja, ja, ga op het dak zitten met een bos uien!'

∽

Het werd een ziekte erbij: ik was nog niet thuisgeko-
men van een bezoek aan Gortzak of ik schreef hem
een brief. Ik legde hem gedurende maanden in tientallen brieven mijn hele leven uit. De eerste keer nadat ik hem geschreven had, reageerde hij niet op
mijn postzending. Ik dacht: de post had zeker vertra-
ging, maar na nog enkele brieven moest ik aanne-

men dat Gortzak geen zin had om aan mijn brieven te refereren.

'Hebt u mijn brief van eergisteren ontvangen?' vroeg ik.

'Waarom vraag je dat?'

'Daar gaan we weer, de poezetruc zeker!'

'Misschien. Wéér die kenmerkende agressie.'

'Ik schrijf die brieven toch niet voor de kat z'n kut!'

'Is onze communicatie hier, van mens tot mens, oog in oog met elkaar, niet voldoende? Waarom wil je een papieren barrière tussen ons oprichten?'

'Tjonge! Mogen brieven van Freud soms ook niet?'

Gortzak werd kwaad: 'We hadden afgesproken dat we de procedure en de aanpak van de therapie buiten beschouwing zouden laten. Freud heeft hier allemaal niets mee te maken.'

'U heeft zelf gezegd dat ik het van mij af moest schrijven. Noteren, bevrijden, losmaken, dat zei u toch?'

'Zullen we doorgaan met waar we mee bezig zijn?'

'Graag en dan zeg ik het nog een keer: ik ben hier nou zo'n tweehonderdvijftig keer over de vloer geweest en ik denk er bij ieder shot serieuzer over om een beetje te veel te prikken. Met één shotje op weg naar het walhalla. Ben ik van alles af en kunt u zich met leukere patiënten bezighouden.'

'Cliënten,' mompelde Gortzak modieus.

'Twee pakken Omo, een half wit en doe maar een onsje ouwe Leidse,' schreeuwde ik op een toon tussen lachen en wanhoop in.

'*Vader,* laten we daarop doorgaan,' fluisterde Gortzak en vanwege dat 'vader' was ik hem in de loop van de therapie gaan haten. Met 'vader' probeerde hij iets vertrouwelijks, bondgenoterigs en gemeenzaams tussen ons te creëren. Het ergerde mij echter dat hij altijd sprak over 'vader' terwijl hij 'jouw vader' bedoelde. Hij probeerde met het weglaten van dat bezittelijk voornaamwoord een soort vader van ons alle twee in het leven te roepen. Kortom: een therapie-*fähige* vader.

'Vader,' herhaalde hij, 'laten we daar dieper op in duiken.'

'Wilt u drama?'

'Het ís een drama, jongen.'

Hij noemde mij voor de eerste keer 'jongen'. Het deed mij goed.

'Het is verschrikkelijk. Ik weet niet wat ik met vaders moet.'

'Vaders zijn onvermijdelijk.'

'Wat u zegt.'

'Laten we verder gaan op jouw beeld van vader.'

Weer dat 'vader' dacht ik.

'Het beeld van mijn vader?' vroeg ik mij hardop af.

'Juist ja.'

Mijn eigen vader kruipend door de badcel met gif in zijn lijf. De dood op eigen verzoek.

With a needle and a spoon.

12

Op een vrijdag maakte de dokter, met mijn toestemming, een einde aan het zinloze lijden van Sandor. Op vijfjarige leeftijd was hij door een onverklaarbare oorzaak in een coma geraakt. Op een dinsdag werd hij gecremeerd. Daarna brak de stilte aan. Een verschrikkelijke vorm van lethargie, een bijna ademloos verdriet, een staren in een uitzichtloze duisternis.

'Kom nou, laten we iets gaan doen,' zei Levie, een vriend die mij probeerde op te vangen.

'Er is niks meer te doen, nooit meer.'

Levie schudde zachtjes met zijn hoofd en zette een grote mok voor me neer. 'Alsjeblieft, koffie,' zei hij.

'Ik wist niet dat dood zo vreselijk zou kunnen zijn.'

'Ik weet het niet, van mijn naoorlogse familie is nog niemand dood.'

'Alles lijkt stil te staan. Alles wat ik aanraak, voelt koud aan. Ik ruik alleen nog maar de geur van het ziekenhuis en de zaal van het crematorium. Van binnen voel ik dat ik ontzettend moet huilen, maar ik krijg

mijn tranen niet naar buiten. Het voelt nog veel erger dan de dood van mijn vader.'

~

Binnen één jaar was ik Sandor en mijn vader kwijt-
geraakt. Beiden op een verschrikkelijke manier. De
twee sterfgevallen hadden een verlammende invloed
op mij. De pathetiek van het moment gaf mij, in dit
benepen tijdvak, vaak het gevoel in dat het nooit
meer erger kon worden, dat ik nu voorgoed somber
zou zijn en dat ik de zogenaamde genoegens van het
leven voor altijd achter mij had gelaten.

De somberheid werd niet veroorzaakt door 'het
missen'. Natuurlijk: ik miste Sandors geklepper
's ochtends op de gang en de bizarre gedragingen
van mijn vader uit een ver verleden, maar een soort
onbestembare schuld drukte op mij. Een schuld die
ik niet duidelijk kon maken. Ook niet in gesprekken
die zich van de vroege avond tot de vroege ochtend
uitstrekten. Gesprekken waarin Levie zich afvroeg:
'Waarom dan die schuld? Wat kon jij aan dat hersen-
foutje doen waar Sandor waarschijnlijk al mee geboren was? En wat je vader betreft: *jij* bent toch de
Tweede Wereldoorlog niet begonnen?'

'Schuld en boete, misschien is dat het vooral. Niet
dat ik dat boek van Dostojevski ooit gelezen heb – ik
geloof zelfs dat 't een foute vertaling is en *Misdaad en*

straf een betere vertaling van de titel geeft – maar *Schuld en boete* klopt. Toen mijn gekke vader leefde, en ik steeds, min of meer opzettelijk, vergat om hem na de echtscheiding te bezoeken, kon ik nog denken: eerdaags ga ik leuke dingen met hem doen. Nadat hij de hand aan zichzelf had geslagen, had ik nog één doel over. Ik dacht: nu kan ik tenminste nog proberen om zelf een leuke vader te zijn. Die kans is nu ook vergaan.'

'Hoe bedoel je?'

'Jij en al mijn andere vrienden zeggen: je hebt ons toch. Natuurlijk: jullie zijn hartstikke aardig, maar ik voel een soort eenzaamheid die niet op te lossen is, niet eens het gevoel dat ik door mijn vader en Sandor in de steek gelaten ben, maar meer dat *ik* ze in de steek gelaten heb.'

'Zo maak je jezelf krankzinnig. Je hebt ze toch niet vermoord of omgebracht? Aan de dood van je vader kun je helemaal niets doen en de beslissing om aan het kunstmatige leven van Sandor een einde te maken was medisch volstrekt verantwoord.'

'Toch is er die schuld, zij drukt veel zwaarder op mij dan al die ongeopende rekeningen op dat tafeltje daar. En dat is geen humor, begrijp je?'

Ik wees op een grote hoeveelheid enveloppen die met een elastiekje samengebonden waren.

~

'Schuld. Daar hebben we 't wel eens eerder over ge-had. Laten we daar vanmiddag verder op ingaan,' zei Gortzak terwijl hij nog even gauw de asbak met een kwastje reinigde van de sigaretteas van een eerdere patiënt.

Ik reageerde niet.

Gortzak vroeg: 'Als je over schuld nadenkt, wat voel je dan?'

'Schuld.'

'En verder?'

'Nog meer schuld.'

'Zo komen we niet veel verder, jongen.'

'Daar was ik al bang voor. Eerlijk gezegd heb ik nog steeds het idee dat ik hier geen steek verder kom.'

'Dat is een fatalistische gedachte die je hier al eer-der hebt geuit en waar ik als therapeut en jij als cliënt niet veel verder mee komen. *Zoeken,* jongen, *zoek* je hersens in ieder hoekje en gaatje af! Ga op zoek naar de schuldvraag, pijnig je kop af naar de oplossing: waarom voel ik schuld en waarom wil ik daarvoor boete doen. Want de boete is het feit dat je je elke dag opnieuw ongelukkig voelt. En waarom? Waarom? Bereik je er iets mee? Komt je vader terug? Stapt dat jongetje van jou straks huppelend over straat? En wat is het antwoord?'

Ik haalde mijn schouders op.

'En wat is het antwoord?' herhaalde de psychiater

die bij wijze van uitzondering was gaan staan.

'Het heeft allemaal geen zin.'

'Precies! Verwerk de dood, leg die onberedeneer-bare schuld naast je neer en zoek een nieuw doel. Denk je soms dat een mens maar één kindje krijgen kan?'

'Kun je een nieuwe vader kopen?' zei ik lachend.

'Dat is een heel bevrijdende opmerking van je,' zei Gortzak serieus. Daarna moesten we beiden lachen.

'Zie je wel hoe bevrijdend dat werkt?'

'Lul,' zei ik boos en sloot mij weer op in het mechanisme van de schuld en de boete.

'Niet doen, niet doen! We waren net op de goede weg. Ik vraag 't je nog een keer: wat is de zin van dat schuldgevoel, wáárom voel je schuld?'

'Omdat ik niets meer herstellen kan, niks meer goed kan maken.'

'Ach! Belangrijk! *Is* er dan iets goed te maken?'

Ik begon te praten. Eerst met horten en stoten, daarna alsof ik snel uit een boek voorlas: 'We liepen achter mijn ouders door de duinen en mijn moeder kwam naar mijn broers en mij toe en vroeg: "Wil er soms iemand anders naast 'm gaan lopen? Ik krijg geen stom woord uit die man, het is zo verstikkend. Lothar, ga jij 'ns naast je vader lopen. In de regel wil hij tegen jou af en toe wat kwijt. Kwebbel maar wat, misschien komt-ie dan los. Ik kan niet tegen die drukkende zwaarmoedigheid."'

Gortzak vroeg: 'En ging je naast je vader lopen?'

'Ja. Ik vertelde dan over van alles en nog wat. Als ik genoeg gepraat had, durfde ik hem wat te vragen.'

'Wat vroeg je dan?' vroeg Gortzak begerig.

'Of hij zich misschien ergens aan schuldig voelde,' verzon ik.

'Juist, precies; dat dacht ik al,' sprak de therapeut enthousiast.

'Dat vroeg ik natuurlijk helemaal niet. Ik vroeg gewoon wat er was.'

'Nou ja, dat bedoelde ik eigenlijk,' zei Gortzak betrapt.

13

Mijn vader was de zwaarmoedigste man van de wereld.

Mijn vader sprak nooit over geld en vond dat ik eigenlijk geen zakgeld nodig had. 'Je krijgt hier te eten en je kunt hier slapen, waarom zou je verder geld nodig hebben?' gaf hij één keer als verklaring voor zijn zuinigheid. Maar was het zuinigheid?

Mijn moeder zeurde eeuwig over geld. Ze maakte ruzie met de goudeerlijke bezorger van de zuivelprodukten omdat hij, volgens haar, geknoeid zou hebben in het bestel- en rekeningenboekje. Ze stuurde de bakker een keer kwaad weg omdat hij mijn moeder erop wees dat hij van haar nog een dubbeltje van de week eerder te goed had en ze maakte in alle winkels ruzie met het bedienend personeel waarvan ze per definitie aannam dat het haar oplichtte.

Mijn vader bezat geen portemonnee en ik kon mij niet herinneren dat er ooit een op zijn naam gesteld bankafschrift met de post bezorgd werd. Als hij ging tanken bij een pompstation vroeg niemand hem om geld en ik vroeg mij later wel eens af hoe er betaald werd. Ging mijn moeder eens in de zoveel weken geld langs brengen?

De zwaarmoedigheid van mijn vader kende geen vrije tijd. Hij staarde altijd somber voor zich uit en zag voortdurend rampen aankomen. Niet het soort ongemakken dat mijn moeder op zich af zag komen ('Straks kookt de melk over en dan ben ik de pineut want de melkboer is al dicht en hoe maak ik dan 't sausje voor de bloemkool?') maar wereldschokkende gebeurtenissen. Wereldoorlogen, staatsgrepen en geweldige overstromingen lagen mijn vader, voorspellend, in de mond bestorven.

Na er lang over nagedacht te hebben, herinnerde ik mij dat ik mijn vader toch één keer met geld bezig zag. Hij lag geknield voor een van de geopende deurtjes van zijn eiken bureau met messing beslag. Hij hield een grote ijzeren pot tussen zijn knieën geklemd. Ik kwam hem iets vragen en hij keek mij verschrikt aan. Uit de geopende pot zag ik rolletjes met ongelooflijk veel bankbiljetten steken. 'Verdwijn,' riep hij geïrriteerd en voegde er snel aan toe: 'Dat geld is niet van mij, of laat ik het zo zeggen: dat is geen geld waar we van moeten leven. Het is voor een tijd die nog weer eens komen kan. Een tijd die de wereld nog nooit meegemaakt heeft. Het kan allemaal nog erger! Is je huiswerk klaar? Nee? Naar je kamertje!' Hij sloot de pot driftig en er bleven, ondanks zijn haastige en hectische gepruts, bij het sluiten stukjes bankbiljet uit steken.

~

Gortzak vroeg: 'Hoe hadden jullie het financieel thuis?'

'Rijk, overmatig rijk, maar ik zag mijn vader nooit met geld. We kregen alles wat nodig was, maar we gingen niet op vakantie. Met geld heb ik als kind eigenlijk nooit goed om leren gaan. Ik kan mij bijvoorbeeld niet herinneren dat ik ooit van mijn vader of mijn moeder een dubbeltje kreeg om een toverbal of zoethout te kopen.'

'Wat zijn of waren je gevoelens over geld?'

'Lekker, als ik 't heb.'

'Nee, dat bedoel ik niet. Als je aan je ouders en geld denkt, wat komt er dan in je op?'

'Dat geld in zijn fysieke staat onzichtbaar was. Geld was in ons gezin een soort illegaal betaalmiddel.'

'Vreemd. Sorry, ik bedoel…'

Gortzak viel uit zijn zenuwkundige rol. Ik glimlachte, de zenuwarts deed bozig: 'Die overwinning die ik op je gezicht ontwaar, is nergens voor nodig. Als ik *vreemd* zeg, bedoel ik: ervoer *jij* hetgeen je vertelt niet als vreemd?'

Ik moest opnieuw glimlachen.

Gortzak keek naar het plafond en zei ten slotte: 'Ik denk dat we voor vandaag wel voldoende gewerkt hebben.'

～

Liggend op mijn bed moest ik in de eerste weken na Sandors dood steeds aan geld denken. Niet alleen aan het pijnlijke probleem door wie en hoe zijn crematie betaald moest worden, maar ook aan andere betalingen waarop ik steevast gewezen werd als ik beneden de post in de bus hoorde ploffen.

Op een middag, terwijl ik al uren lusteloos op mijn bed terneerlag, zag ik een gebeurtenis als een diavoorstelling voorbij trekken. Sommige dia's zaten ondersteboven in mijn hoofd.

Ik liep naast mijn vader langs het hek van het duinwaterleidingterrein. 'Weer somber?' vroeg ik.

'Een mens zou er 't beste aan doen zich voor alles wat met betalen en geld te maken heeft af te sluiten. Van de ene dag op de andere kun je alles verliezen.'

'Heeft u dat dan?'

'Daar ga ik niet op in, jongen. Geld moet er zijn – dat weet ik ook wel – maar het moet onzichtbaar blijven. Wanneer je geld hebt, moet je toch zó leven alsof je niets hebt. Als je later eventueel van mij erft, moet je alles weggeven. Het enige dat je met het houden van dat geld bereiken kunt, is dat ze 't van je afpakken. Die kans moet je ze niet geven.'

'Wie zijn *ze*?'

'Zullen we doorlopen naar Scheveningen?' stelde mijn vader voor. Hij richtte zijn ogen priemend naar de top van een boom en zei: 'Zie je die vlinder daar? Als ze op die manier door blijven donderstenen met de duinen, fladdert hier binnen de kortste keren geen vlindertje meer. Vlinders maken ze een stuk gemakkelijker af dan mensen en met mensen hebben ze al helemaal geen moeite, dat weet je ook wel.'

Ik begreep mijn vader niet. Hij was in zijn raadselachtige bestel van verre gedachten en half afgemaakte zinswendingen geraakt, een bestel dat ik nooit ten volle begrijpen zou.

~

Ik schrok uit mijn herinnering op door het geklop op het raampje van de voordeur. 'Mantoua, ik weet dat u thuis bent! Ik kom nog één keer en of u dan wel of niet thuis bent, maakt mij niets uit. Dan leg ik beslag en dan zit u pas goed in de problemen.'

Ik hoorde de deurwaarder een exploot in de brievenbus gooien en een paar seconden later rammelde hij op zijn fiets weg.

Traag liep ik de trap af. Ik pakte het exploot van de grond en gooide het in de huiskamer in een hoek. Bij alle andere exploten, dwangbevelen, aanmaningen en acceptgirokaarten. Afgesloten van de wereld als ik leefde, nam ik de telefoon pas op wanneer er in een bepaalde code gerinkeld werd. Twee keer over laten gaan, pauze, één keer over laten gaan, pauze, en dan doorrinkelen.

'Ja?' vroeg ik.

'Met Peter, gaat het, jongen?'

'Het gaat niet.' En ik vertelde hem van het financiële leed.

'Maak die post toch open, jongen. Ga met die kerels praten, vraag om een regeling. Je kunt niet betalen, maar ze weten je toch te vinden. Ze maken je stuk, ze verkopen je spullen, ze slopen je, geloof mij nou!'

Ik geloofde Peter, graaide na afloop van het gesprek de hoek met rekeningen en aanmaningen leeg en wierp alles in de keuken bij de gebruikte koffiefilters en oud brood.

'Sstt, sstt, weg,' siste ik tegen de kat. Het beest keek mij schichtig aan en vluchtte het balkon op. 'En denk maar niet dat ik jóúw naam níét weet!' riep ik hem

na. Beneden begon er iemand anders op de deur te
beuken.

14

Met Peter zou ik een weekje naar Engeland gaan. We
lagen samen, heel kuis, in zijn bed, want zijn vriendin was een paar dagen gaan zeilen. Peter las James
Joyce.

'Vind je daar wat aan?'

'Muh, het is belangrijk, hè.'

'Dat is waar, maar…'

'Maar wat?'

'Ik geloof dat ik zijn boeken vooral mooi vind,
omdat je ze mooi moet vinden. Hij hoort in een
soort rijtje: Shakespeare, Byron, Vestdijk.'

'Zo kun je er ook over denken. Heb je al genoeg
geld voor de reis?' vroeg Peter terwijl hij enthousiast
een bladzijde omsloeg.

'De vlucht heb ik betaald en ik heb nog honderdvijfenzeventig gulden.'

'Honderdvijfenzeventig gulden voor eten, drinken, slapen en ook nog eens boeken kopen?'

'We zouden toch naar die jeugdherberg gaan? Wat
kost die per nacht?'

'Eén pond. Verder verplicht schrobben en afwas-
sen.'

'Het zal een beetje krap worden.'

'Welterusten, jongen. Over precies een week banjeren we door Londen,' zei Peter die, nog enthousiaster, Joyce dichtsloeg.

~

Ik was voor de eerste keer in Londen, maar Peter was er al eens eerder geweest. Hij kende de straten, een goedkope striptease-tent waar naakte meisjes op schommels boven het publiek zweefden en wist precies de dagen waarop in musea geen toegangsgeld werd geheven.

In de jeugdherberg was eigenlijk geen plaats meer, maar Peter was in staat ons, met zijn voortreffelijke Engels, binnen te praten. Onder de wasbakken werden voor ons twee veldbedden neergezet.

De eerste nacht kon ik de slaap nauwelijks vatten. Ondanks het feit dat de herberg duidelijk voor jeugdigen bedoeld was, lagen er op de slaapzaal vooral oudere heren die een kakofonie van gesnurk voortbrachten. Verder kwam de herbergvader om het uur met een zaklantaarn de zaal in schijnen om te zien of er geen meisjes uit een belendende zaal binnen waren geslopen.

Het ontwaken geschiedde met een schok. De herbergvader liep langs onze britsen terwijl hij op een grote, koperen bel sloeg. Beneden werd er in een morsige zaal ontbeten. 'Je moet worstjes en wit brood nemen, dat is het goedkoopste. Geen eieren; als je daaraan begint in Engeland is je geld zo op.'

Voor het eerst van mijn leven at ik 's ochtends vette worst en brood dat uit kauwgom gemaakt leek. Na het ontbijt kreeg ik een bezem in de hand gedrukt en moest ik de vloer aanvegen. 'Schiet op,' zei Peter die klaar was met zijn taak: het zetten van borden in gietijzeren rekken.

Het schemerde nog toen we op weg gingen naar het British Museum. 'Dat kost tot vanmiddag niets om daar in te komen en ze hebben er ook een speciale kast met beschadigde catalogi die je voor een habbekrats kunt meenemen. En daarna gaan we met de ondergrondse naar een straat waar je je suf aan ouwe boeken kunt kopen. Verleden jaar kocht ik er een tweede druk van Keats voor anderhalve pond, niet te geloven, jongen!'

Om halftwaalf arriveerden we in 'de boekenstraat' – zoals Peter haar noemde – en toen we de eerste winkel binnengingen zei Peter streng: 'Je hebt het geld voor de jeugdherberg apart gehouden, hè; en ook een pond voor het eten iedere dag, ja toch?'

Ik knikte.

De tweede boekwinkel hoefde ik niet eens binnen te gaan. Buiten lag een rij boeken op planken die door schragen werden gestut. 'Godverdomme, Peter, moet je kijken! De *Complete Works* van Thomas de

Quincey! Wat zou dat kosten?'

'Het zal wel voorin staan.'

'Zestig pond, dat is eigenlijk helemaal niet veel.'

'Maar je hebt 't niet.'

'Kun jij me niks lenen?'

'Ik zou wel willen, maar ik heb 't ook niet.'

Gedurende de rest van ons verblijf tobde ik over de aanschaf van het verzameld werk van een schrijver die ik bewonderde. De jaren van een *golden credit card* en zelfs van bank- of girocheques lagen toen nog in een ver verschiet en daarom bleven de prachtige bandjes, in bruin gestempeld linnen, op hun planken liggen. Een bezoek aan Londen een jaar later geschiedde onder dezelfde omstandigheden. Peter moest erom lachen: 'Ze liggen nog steeds op je te wachten, jongen, die deeltjes.'

Het geld was er echter nog steeds niet. Ik streelde liefdevol langs de ruggetjes en zag dat het jaar lange verblijf in de buitenlucht de boeken geen goed had gedaan. 'Eén deeltje is al een beetje gaan rotten,' zei ik verontwaardigd.

'Ze snakken naar je!'

~

Twintig jaar later zou ik nog geen *Complete Works* van De Quincey bezitten. Weliswaar zag ik enkele keren een set op een veiling of in een catalogus aangeboden, maar daar was de prijs het tienvoudige en op momenten dat ik erop zou hebben kunnen bieden of haar had kunnen bestellen, liet mijn financiële situatie het niet toe. De Quincey's verzameld werk werd een monument van mijn onvermogen om met geld om te gaan of juist van mijn talent in vreselijke omstandigheden te raken.

Eén keer scheen het geluk mij toe te lachen. Ik was bij toeval in een wat ranzig veilinghuis terechtgekomen waar ik de veilingmeester hoorde roepen: 'Pakkie Engels. Een volledig setje. Effe koekeloeren: De Kwinzie, als ik mij niet vergis.'

Ik voelde opwinding van bijna erotische aard in mij opwellen.

De veilingmeester zette op tien gulden in.

'Vijftig gulden!' schreeuwde ik.

'Wat een enthousiasme,' fluisterde een bezoeker achter mij.

'Meneer laat het breed hangen,' meende de veilingmeester. 'Biedt iemand meer? Nee?' Hij hamerde af en op een prachtige zomermiddag sjouwde ik een zware doos, vol De Quincey, over de grachten naar huis.

Tien maanden later werd het verzameld werk, samen met duizenden andere boeken, uit mijn huis gedragen. Een deurwaarder zette streepjes op een papiertje en een handelaar in een suède jas hield toezicht op het transport. Met gemaakt medelijden in zijn stem zei hij: 'Sorry, Lothar, we maken allemaal wel eens een beroerde tijd mee. Je moet maar zo denken: met dit faillissement ben je in één klap van je schulden af. Het is eventjes doorbijten, maar je kunt met een schone lei beginnen. Ik weet 't zeker: jou zie ik over een tijdje gewoon weer als koper terugkomen. Je bent een financiële brekebeen, maar aan de andere kant ben je niet gemakkelijk stuk te krijgen. Hebben we alles, jongens? Ja? Kom op, weg wezen!'

15

Alles was weg. De curator die mij was toegewezen, had in een rap tempo gezorgd voor een opkoper van mijn boeken, hij had een tweedehands-meubelzaak bereid gevonden mijn tafel en stoelen over te nemen en mijn huis werd tegen een bodemprijs op een openbare veiling van de hand gedaan. Mijn bed en mijn kleren mocht ik behouden.

❧

Otto Liphorst heette de curator, een naam die wonderwel bij hem paste want hij had een hazelip die hij, ondanks een Hitler-snorretje, niet kon maskeren. Hij ontving mij na de uitspraak van het faillissement op een rommelig kantoor. Overal op de grond lagen mappen en dossiers en op een tafeltje voor het raam stonden kwijnende planten.

'Otto Liphorst,' stelde hij zich met een licht slissend stemgeluid voor.

'Mantoua,' zei ik. 'Hoe kan dat nu allemaal? Ik heb nooit een aangetekende brief aangenomen of gezien en nou ben ik ineens failliet. Kan dat zomaar? Ze kunnen je toch niet van de ene op de andere dag naar de klote helpen! Ik weet van niks!'

'Het is in Nederland niet zo dat, als je alle officiële stukken consequent weigert in ontvangst te nemen, je een faillissement kunt ontlopen. Ik zal het 'ns nakijken.' Liphorst graaide in een stapel papieren en somde een aantal data op. 'Kijk, de post probeert het een paar keer, daarna is de deurwaarder verplicht drie keer bij je langs te komen, vervolgens komen er twee brieven van de rechtbank en als je dan nog geen sjoege geeft, ja, dan ga je voor de bijl. Ik moet zeggen dat onze rechtsstaat aan alle kanten kraakt, maar wat betreft je faillissement-aankondiging moet ik zeggen: die zaak klopt juridisch, ze hebben de procedures naar behoren afgewerkt. Hoe lullig het ook voor je is afgelopen.'

'Hoe bedoel je: *een rechtsstaat die kraakt*?'

'Nou, als lid van een links advocatencollectief kom ik natuurlijk dagelijks in aanraking met gewone mensen die platgewalst worden.'

'Werkt hier ook niet dat meisje met wie ik gestudeerd heb? Hoe heet ze ook weer?'

De deur ging open en een roodharig meisje sprak, staande in de deuropening, op geëxalteerde toon: 'Ot! We hebben die huisjesmelker bij zijn kladden! Die zal geen kwaad meer uit kunnen richten…'

'Hee, Lidwien!'

'We hadden 't net over je.'

'Ik heb 't gehoord. Beroerd voor je,' zei Lidwien ernstig en kennelijk gemeend. 'Otto zal die zaak wel goed voor je afhandelen. Je bent je spulletjes kwijt en verder…'

Lagen we een half jaar geleden nog te neuken, dacht ik.

Otto Liphorst leunde achterover. Om zijn onsympathieke mond verscheen een glimlach, maar daar verbond ik geen consequenties aan. Ik dacht toen nog: hij is links, hij helpt mij wel uit de brand.

'Morgen gaan we samen naar de rechter-commissaris op de rechtbank. Daar krijg je een soort preek en dan moet je vertellen hoe het allemaal gekomen is en daarna kunnen we direct aan de afhandeling beginnen. Je zult je paspoort moeten inleveren, je post wordt naar mij gestuurd en je krijgt een soort zakgeld. Als er tenminste inkomsten zijn.'

~

Rechter-commissaris mr. Bruin toe Sloetweegen zat achter een verhoging in een kale, met imitatiehout betimmerde zaal. Hij keek naar beneden waar ik in een moderne variant van het plastic kuipstoeltje uit de jaren vijftig zat.

'Lothar Gottlieb Mantoua?' somde hij al mijn namen vragend op.

'Ja, edelachtbare.'

'Uw faillissement werd aangevraagd door warenhuis Compleet, verf- en schildersbenodigdhedenhandel Halm en de naamloze vennootschap Booktext. U bent daarvan op de hoogte?'

'Nee,' zei ik naar waarheid.

'Je moet ja zeggen,' siste Liphorst die naast mij zat.

'Sorry, edelachtbare: ja, natuurlijk.'

De edelachtbare schudde zijn hoofd op meewarige wijze heen en weer. 'Ten aanzien van het failliet zijn alle wettelijke maatregelen in acht genomen?'

Liphorst bevestigde dat.

Ik voelde dat mijn naam mij was afgenomen; ik zou voortaan als 'het failliet' door het leven gaan.

'De wet voorziet in de mogelijkheid om u de gelegenheid te geven tot een toelichting waarin u uw omstandigheden die tot het faillissement hebben geleid kunt uitleggen. Ik geef u daartoe graag de gelegenheid. Of heeft u niets mee te delen?'

Liphorst keek mij vragend aan.

Ik dacht: wat moet ik vertellen? Moet ik mijn

jeugd uit de doeken gaan doen? Sandors dood? Het geheimzinnige sterven van mijn vader? Mijn ziekelijke neiging tot kenniswerving?

~

De dag na het bezoek aan de rechtbank zat Gortzak, nadat ik mijn droevige beginselverklaring geactualiseerd had, zichtbaar wanhopig in zijn stoel. 'En dat vertel je mij nu? Daar hadden we toch alles aan kunnen doen! Ik had een verklaring aan de rechtbank voor kunnen leggen dat je in de war bent, dat je onmachtig was om in financiële zin overzicht te houden, dat je eigenlijk onder curatele had behoren te staan. Jeeminee, wat een ramp! Therapeutisch een *disaster*, onverantwoordelijk om een *ambulant* zo te behandelen!'

'Ambulant?' vroeg ik.

'Ja, een cliënt die niet gehospitaliseerd is en zo iemand ben jij. Wil je dat ik een plekje voor je zoek in een kliniek? Ben je opgewassen tegen de dingen die nu op je afkomen?'

'Dat weet ik niet.' Buiten een *failliet* ben ik nu ook nog een *ambulant* geworden, – dacht ik, keek langs de psychoanalytische boekdelen en daarna naar buiten.

'Jeeminee!' herhaalde Gortzak.

'Ik kan u niet meer betalen,' besloot ik de sessie van die middag.

'Dat probleem is het laatste waar ik aan denk!'

Nadat de advertentie in de krant was verschenen waarin publiekelijk van mijn faillissement gewag werd gemaakt, duurde het slechts enkele dagen voordat Gortzak zijn claim bij de curator indiende. Dat bleek mij tenminste iets later. Nog veel later, toen ik Gortzak op een receptie tegenkwam, zei hij besmuikt: 'Ik dacht dat je het bewust op een faillissement had aangestuurd. Dat je mij therapeutisch een loer wilde draaien.'

16

Het was koud in Antwerpen. De stad lag in stukken uiteen want de ambitieuze havenstad had besloten om een metronet aan te leggen. Vrouwen met paarse haarspoelingen zag ik in gaten storten, oude mannen struikelden over slecht geplaatste afzettingen en voor een bonbonwinkel maakte een kleine menigte gewag van haar woede: 'Ze slopen de stad en de middenstand gaat naar de donder. Hoe lang moet dat nog duren!' Een politieagent probeerde de klagers met lichte aandrang uiteen te drijven. Doelloos liep ik verder; waarom ik in Antwerpen was, wist ik eigenlijk niet goed. Weliswaar had ik als failliet plannen gemaakt om Nederland voorgoed te verlaten, maar Peter had mij daar uiteindelijk van af gehouden.

'Wat moet je in Spanje. Een bar beginnen? Of wat zou je in Frankrijk moeten, druiven plukken kan alleen in het najaar, daarna is er niets meer te doen. Je kunt onder een brug slapen in Parijs, ja, dat is waar.'

's Avonds werd het een goedkope speelfilm in België. Ik zat aan een bar in het uitgaanscentrum naast een meisje. Mooi, 'vierentwintig' (zei ze), ze studeerde germanistiek in Leuven en sprak voor een Vlaamse met een bijna volmaakte Noordnederlandse tongval.

'Wat doe je hier?' vroeg ik.

'Ik ben triest, want mijn vader heeft zelfmoord gepleegd.'

'Toevallig,' reageerde ik somber, 'de mijne ook.'

'En mijn jongste broertje heeft een dodelijk auto-ongeluk gehad.'

'En mijn zoontje is overleden.'

Ze moest wrang lachen. 'Nog meer leed?' vroeg ze.

'Ik ben ook failliet verklaard.'

Ze begreep het woord *failliet* niet.

'Ze hebben al mijn spullen verkocht, tot en met mijn huis toe en vanaf nu gaan ze mij mijn hele leven achtervolgen.'

'Heb je dan zoveel schulden gemaakt?'

'Niet eens, maar ze hebben mijn huis op een openbare veiling verkocht en het is daar voor zo weinig geld weggegaan dat ik alleen bij de hypotheekbank nu al een ton schuld heb. Voor het huis heb ik honderdzestigduizend gulden betaald en het is verkocht voor zestigduizend! De klootzakken!'

'Je had nog meer schulden?'

'Die waren nauwelijks de moeite. Laten we over wat anders praten. Het interesseert jou toch helemaal niet wat er financieel gebeurd is.'

'Ik vind je aardig, wil je nog een pintje?'

~

's Nachts reden we in een oude Volkswagen, model Kever, naar haar studentenkamer in Leuven. Ze reed langzaam en keek krampachtig door de voorruit.

'Geef 'ns een sigaretje?' vroeg ze.

'Hoe heet je eigenlijk?'

'Dana, eigenlijk Daniëlle, maar die hele naam vind ik zo'n vertoning. Als iemand mij zo noemt, voel ik mij een heilige, een gestigmatiseerde vrouw of zo iets. Hoe heet jij eigenlijk?'

Ik vertelde mijn naam. Ze begon te hoesten. 'Ik zet de auto even aan de kant, wat is dat voor tabak? Vergif?'

'Gaat het?' vroeg ik toen we in de berm tot stilstand waren gekomen. 'Waarom rijd je toch zo krampachtig.'

'Ik ben mijn bril vergeten en kan zonder nauwelijks iets zien. Wil jij niet sturen?'

'Dat kan ik niet.'

Dana haalde diep adem, startte de Kever en haalde diep adem: 'Nou, vooruit dan maar, het is nog een half uurtje en dan gaan we lekker neuken. Verschrikkelijk lekker, op z'n Belgisch, heb je dat al eens eerder gedaan?'

Verbaasd keek ik naar Dana die in de zwarte verte bleef staren met een verbeten trekje om haar mond. Ze had een gezicht dat van porselein gemaakt leek. 'Ik denk dat een bril je goed zal staan. Wat is Belgisch neuken? Hoe gaat dat?'

'Dat is neuken om te vergeten. Je neukt, trekt en likt net zo lang tot je allebei in een diepe slaap valt en droomt over de volgende morgen met sterke koffie. Die koffie breng ik. Als je goed wakker bent, ga je weer neuken en dan opnieuw slapen. Ik heb 't wel eens tweeëneenhalve dag achter elkaar gedaan. Met een jongen uit Arendonk. Een boerenpummel, maar hij kon er wel wat van. Gotsiekiedee!'

'O.'

'Ik heb er ook 'ns een gehad uit Zelzate en die liet het al na het eerste kopje koffie af weten. Wanneer heeft je vader zich van kant gemaakt?'

'Pas.'

'En dat zoontje, wanneer ging die dood?'

'Vlak daarna.'

Dana siste tussen haar tanden en gebruikte opnieuw dat eigenaardige woord: 'Gotsiekiedee!'

We reden zwijgend verder door de nacht. Ik begon

dwangmatig te letten op plaatsnaamborden met sprookjesachtige Vlaamse namen. Het geluid van de automotor en het uitblazen van sigaretterook bleef over. Totdat Dana bedachtzaam zei: 'We zijn er. Zachtjes lopen. Anders krijg ik ruzie met mijn huisgenoten. Twee trappen op. Ik moet nog eventjes wat doen; ik kom zo.'

Ik stond in een duister hol. Helemaal boven aan de trap scheen een gloeipeer te hangen. Voorzichtig tastend beklom ik de kale trap en deed op de tweede etage de enige deur open die er te zien was. Midden in de kamer stond een net opgemaakt bed met een roze sprei. Daaromheen lag een reusachtige chaos van bestek, boeken, kranten, schalen en kleren. Achter het bed brandde een lampje. Ik ging op de rand van het bed zitten en wachtte af. Geluidloos kwam Dana binnen.

'Hier woon ik,' zei ze.

'Dat hoopte ik.'

'Kleed je uit. Of zal ik 't doen?'

Ik schudde van nee, wierp mijn kleren tussen de warboel en kroop onder het dons. Dana hoefde alleen maar een te groot mannenoverhemd, haar schoenen en een spijkerbroek uit te trekken. Ze ging naast mij liggen. 'Mag ik je wat vragen?'

'Ja hoor,' zei ik.

'We hoeven het niet op z'n Belgisch te doen, hoor. Liever zou ik zelfmoord plegen, samen met jou. Dat komt heel weinig voor, dubbelzelfmoorden, en het is reuze romantisch. Zullen we?'

'Ik weet het niet.'

We vielen in slaap. Dana lag boven op mij toen ik wakker werd. Ik probeerde voorzichtig onder haar uit te komen. Ze opende langzaam haar ogen, schrok en schreeuwde bijna: 'Wie ben jij in godsnaam?'

17

Dana Verbeeckxhooven was het raarste meisje dat ik ooit was tegengekomen. Er mankeerde van alles aan haar: ze bezat nauwelijks een adequaat geheugen, dronk onmatig en werd vervolgens buitensporig onredelijk en hield er een soort buitenaardse logica op na. Ik bleef desalniettemin een week bij haar wonen omdat ik geboeid raakte door haar vreemde gedrag. Dana droeg een verdriet met zich mee dat zich de ene keer uitte in mateloze versombering en de andere keer in hypomane opgewektheid. Het verdriet verwoordde Dana echter steeds in andere versies. Soms kreeg ik het idee dat haar hele familie gestorven was, in een ander gesprek bleek ze een tiental neven in Spanje te bezitten. Dana vroeg op een morgen, de zon stond achter de gordijnen klaar: 'Wat doe jij met je verdriet?'

'Ik ga ermee naar de psychiater,' antwoordde ik.

'Die maken je gek.'

'Kan zijn.'

'Hoe lang kom je er al?'

'Een paar jaar.'

'Dat is nog niks, ik loop bij de mijne al tien jaar, geloof ik, in en uit. En helpen? Ho maar! Net als ik mijn verdriet een beetje aardig heb weggedrukt, peutert die man de zaak weer los.'

'Waarom ga je er dan nog heen?'

'Vriendschap. Bij een psychiater koop je vriendschap, verdomd dure vriendschap,' sprak Dana stellig. Ze stond op, rekte zich voor de gordijnen uit en opende ze. 'De dag staat weer in al zijn ellende voor ons klaar. Zullen we koffie op de markt gaan drinken?'

Drie kwartier later zette Dana een kopje espresso aan haar lippen en zei zonder een zweem van ironie: 'Wij vernietigen elkaar. Hier heb je mijn sleutel, haal je spullen, ik wil je nooit meer zien.'

Ik vroeg: 'Hoe bedoel je?'

'Ik bedoel wat ik zei.'

∽

Ik reisde met een hart vervuld van Dana terug naar Nederland. De eerste met wie ik sprak was Gortzak. Ik dacht: en natuurlijk gaat hij niet vragen waarom ik een week weggebleven ben, maar ik begin er zelf niet over. Ik zag Gortzak denken: hij moet het uit zichzelf vertellen. Gortzak deed alsof niets hem eigenlijk meer interesseerde. Ik begon druk over van alles en nog wat te vertellen, behalve over Dana. Ik informeerde ostentatief naar de stand van zaken in de neo-psychoanalyse en dat irriteerde Gortzak. Op een gegeven moment leek hij uit te willen vallen. Ik verhoogde mijn spreektempo: 'Die hele neo-psycho-analyse is natuurlijk net zo'n tyfusuitvinding als al die andere lultherapie. Freud? Een rashomo, Gortzak. Jung? Lulletje rozewater! Allemaal zeiksnorren van...'

'Door wie heb je je laten opstoken?' snauwde Gortzak opeens kwaad.

'U wilt het weten, hè? Gaat u niks aan.'

'Geheimen voor elkaar hebben is een slechte basis voor een analyse,' zei Gortzak zachtjes.

'Voor elkaar? O ja? Hoe heet uw kat ook weer?'

Gortzak streek zijn haren naar achteren, zuchtte en vroeg: 'Gaan we op die toer?'

'Ze heet Dana en woont in België,' sprak ik gelaten.

'Liefde, verliefd?'

'Gek.'

'Je bent niet gek.'

'Nee, misschien ik niet, maar zij wel.'

'Vertel eens. Ga wat achteroverzitten, haal 'ns rustiger adem.'

Ik vertelde.

'*Problems, problems, oh boy,*' fluisterde Gortzak in zichzelf.

'Niet waar.'

'Welzeker. Je bent in België geweest en je zal daar wel hebben lopen slierten en behoorlijk ingenomen hebben, maar die Dana bestaat helemaal niet. Die heb je verzonnen. Je leeft in een droomwereld, jongen; je moet oppassen.'

Ik keek mijn psychiater aan. 'U heeft gelijk,' zei ik, 'u bent knapper dan ik dacht.'

Gortzak keek mij strak aan.

'Ik heb dat de laatste tijd meer, dokkie. Ik word gek van de problemen. Ik heb geen huis meer, geen spullen, slaap her en der bij vrienden. Als ik de dingen niet droom, moet ik aan de realiteit denken en die is kaal en koud. Ik ben nu bijna dertig en bezit een bed en een paar ouwe spijkerbroeken. *Als* ik geld verdien, wordt het in beslag genomen en verder reizen dan naar België kan niet; ik hoop dat ze mij bij de grens niet om mijn paspoort vragen. Ik heb dagen dat ik uren door de stad zwerf en dat ik in de veronderstelling leef dat ik een kasteelheer ben. Ik weet wel dat 't niet waar is, maar als ik dat verzinsel een paar uur volhoud, voelt de wereld tenminste voor eventjes leuk.'

'Dat is de wereld niet, het zijn de spinsels in je hoofd.'

'Meer bezit ik niet! Bel de curator maar!'

'Goed, goed. Luister: je moet oppassen dat je niet in die fantasieën blijft steken. Ik ken uit de literatuur heel schrijnende gevallen. Jij bent te intelligent voor zulk soort fratsen. Het is een beroerde tijd, maar blijf met je benen op de grond staan. Aan het einde van elke donkere tunnel gloort licht.'

'Volgens mij zit ik in een tunnel zonder einde.'

'Zo'n tunnel bestaat niet.'

'Zeker wel. Ik ben er in eentje geweest, in Zwitserland.'

'Zo praten we niet met elkaar.'

~

Ik ging in gedachten met Dana schrijven. Soms ging ik twee dagen in een jeugdherberg op de Veluwe logeren en vertelde mijn vrienden dat ik naar 'mijn Belgische vriendin' was geweest. Met een verdraaid handschrift schreef ik brieven die ik aan die vrienden liet zien. 'Weer een brief,' zei ik dan trots, 'moet je lezen, dat kind is helemaal gek van mij.'

'Nou, in al je somberheid heb je die Dana toch maar,' zei Peter.

'Wat moet ik zonder haar beginnen. Ik zou niet weten hoe ik haar het volgend weekend moet bezoeken. Ik heb geen stuiver.'

'Je kunt van mij wel vijfentwintig gulden lenen,' bood Peter aan.

Van die vijfentwintig gulden at *het failliet* vijf keer nasi rames. In zijn eentje. Met het uitzicht op kunstig uitgezaagd triplex. En zonder koffie toe.

'Was het leuk in België?' informeerde Peter belangstellend op een dinsdagmiddag. 'Heb je eigenlijk geen foto van haar.'

'Die krijg ik de volgende keer, heeft ze beloofd,' zei ik.

Op het Centraal Station vond ik de volgende dag een vergeten foto in de paspoortfotoautomaat. Ik stopte haar in mijn portemonnee en toen Peter weer naar een foto vroeg, liet ik 'Dana' met nauwelijks geveinsde trots zien.

'Ze is prachtig!' riep Peter uit.

'Nou en of!'

Ik geloofde mijzelf. Droom als werkelijkheid.

18

Een *failliet* raakt in een onbegrijpelijk isolement.

Ik werd, zelfs door heel goede bekenden, met achterdocht behandeld en officiële financiële transacties konden niet meer plaatsvinden. Op zoek naar een huurwoning werd mij om een bankgarantie gevraagd (die ik natuurlijk niet kreeg) en naar mijn inkomen. Weliswaar had ik schaarse inkomsten, maar die kwamen voor het grootste gedeelte bij Liphorst op een bankrekening. Zelfs mijn contacten met de heren die mij morfine verstrekten verliepen. Eén liet mij niet eens meer binnen en zei: 'Falliet hè? Nee, je krijgt niks meer, ik heb liever geen gedonder met justitie.'

Het gebruik van allerlei pilletjes nam ook af. Enerzijds door de invloed van Gortzak, anderzijds doordat ik er mij steeds suffer door begon te voelen. Ik richtte mij op de fles en raakte in een fase van verdriet overdag en een eufore toestand 's avonds door bier of jenever.

Bij het warenhuis was ik al lang weggestuurd en een uitkering vanwege geestelijke instabiliteit was mij ook al ontnomen omdat de uitkeringsgemachtigde, niet geheel onterecht, meende dat ik de tent had opgelicht. Doelloos ging ik door de dagen waarin ik soms een zwart klusje aannam, maar meestal van de hand in de tand leefde. Ik woonde op kamers die bekenden voor korte tijd leeg hadden staan of logeerde bij oudere dames die mij een dichterlijke natuur vonden hebben.

'Hoe krijg je dan je post?' vroeg iemand.

'Ik krijg geen post. Die gaat allemaal naar de curator.'

'Maar stuurt hij je die dan niet door?'

'Hij stuurt niks door. Hij zit in zijn rommelige kantoor links te wezen en zegt als ik hem bezoek vaak: "Nou, bedankt. Volgende week is je faillissement wegens gebrek aan middelen voorbij. Dan kun je je administratie komen halen en verder moet je maar zien. Je moet er rekening mee houden dat sommige schuldeisers je je hele leven blijven achtervolgen."'

'Dus je faillissement is eerdaags voorbij?'

'Was dat maar waar! Mijn curator Liphorst heeft mij al tien keer beloofd dat het over is. Volgens mij blijf ik mijn hele leven failliet.'

'Je moet naar die vent toe stappen, jôh. Of je moet 'm aanklagen. Een advocaat nemen…'

'Dat heb ik 'm al eens gevraagd, maar dat verbiedt hij. Hij zegt: "We hebben je geld nodig om je schulden af te betalen, we gebruiken het niet voor allerlei chicanes van jou!"'

'Dan neem je toch een pro-deoadvocaat.'

'Daar is Liphorst ook tegen. Hij moet dan een bewijsje schrijven waarin staat dat ik niet in staat ben om zelf een advocaat te betalen, maar ik verdien net genoeg geld.'

'Dat is toch te gek! Je bent gewoon rechteloos!'

'Zo is het.'

～

Het faillissement duurde voort. Soms zag ik Liphorst een jaar lang niet en hoorde ik ook niets van hem. Ik nam baantjes en klusjes aan waarvan Liphorst niets wist, maar wanneer hij erachter kwam liet hij bij mijn (nieuwe) werkgever ook beslag leggen. Zo was ik voortdurend bezig met het verzinnen van nieuwe baantjes om Liphorst zijn beslagleggingen voor te zijn. Na een paar jaar kreeg ik een aangetekende brief van rechter-commissaris Bruin toe Sloetweegen. Of ik bij de rechtbank langs wilde komen; om negen uur 's ochtends, geen minuut later.

Bruin toe Sloetweegen was eigenlijk een aardige man. 'Hoe moet dat nu verder? U komt hier nooit meer uit op die manier,' zei hij.

'Dat weet ik, maar meneer Liphorst zegt eens in de zoveel tijd dat ik word vrijgelaten.'

'Een faillissement is geen detentie, meneer Mantoua,' sprak Bruin toe Sloetweegen die vervolgens Liphorst – ambtshalve aanwezig – vragend aankeek. 'Is het correct wat het failliet beweert, curator?' vroeg hij.

Liphorst sliste: 'Geheel onjuist, volkomen incorrect. Ik probeer juist zoveel en zo snel mogelijk geld bij elkaar te schrapen opdat ik het faillissement kan beëindigen. Helaas heeft het failliet telkens inkomsten verworven die het verzwijgt.'

Bruin toe Sloetweegen wendde zijn hoofd naar mij.

'Klopt! Ik moet toch ergens van leven, van Liphorst krijg ik geen geld voor mijn levensonderhoud terwijl dat toch in de wet staat. Verder weet meneer

Liphorst ervan; ik heb 'm dikwijls gezegd dat ik op die manier wel geld moet verdienen. Hij heeft daarover wel 'ns gezegd: je doet maar; officieel weet ik van niets.'

Liphorst begon weer te slissen, mompelend mij tegen te spreken, pakte vervolgens zijn tas in en betoogde dat hij nú weg moest om bijstand te verlenen aan een arme jongen, die een bom had gegooid naar een of andere ambassade en die al twee weken 'als een rechteloze stakker in het cachot zat'.

'Blijft u nog even zitten?' vroeg Bruin toe Sloetweegen.

We spraken een uur over Franse romans uit de vorige eeuw en de rechter-commissaris besloot het gesprek met te zeggen dat mijn faillissement een onhoudbare en onmogelijke toestand was die zo niet langer voort kon duren. Bruin toe Sloetweegen drukte mij de hand en sprak stellig: 'U hoort van mij, zo kan dat écht niet.'

~

Ik hoorde nooit meer wat van de rechter-commissaris totdat ik een brief van een deurwaarder op straat kreeg aangereikt. 'Eindelijk heb ik u,' zei de deurwaarder grijnzend. 'Geen vast adres, hè, maar we weten u te vinden. Een gijzelingetje, dat zult u wel zien wanneer u de brief heeft opengemaakt. Niet best.'

Ik maakte de brief nog op straat open. Rechter-commissaris Zwartvuil verzocht mij dringend op die en die dag op de rechtbank aanwezig te zijn. Hij schreef dat ik op twee eerdere brieven niet had gereageerd en dat als ik op deze niet zou reageren 'wij genoodzaakt zijn u als nalatig failliet in gijzeling te nemen'.

Wie was Zwartvuil en waar waren die twee eerdere brieven? Ik kende geen rechter-commissaris Zwartvuil en de genoemde brieven had ik nooit ontvangen.

Twee dagen later kwam aan mijn twijfel een einde. Bijna gegoten in een blazer en een flanel broek stond Zwartvuil, met onheilspellende wenkbrauwen, in de deuropening van kamer 4.03. Hij begon direct te tieren: 'Dit moet afgelopen zijn, *failliet*! Dat de inmiddels gepensioneerde Bruin toe Sloetweegen 't allemaal toeliet, was zijn zaak, maar nu is het over. Elke cent gaat naar de curator…'

'Waar moet ik dan van leven?'

'Snuit toe! Zielig gedoe hebben we niets mee te maken. Zoontje dood, vader zich van kant gemaakt, heb ik gehoord. Niets mee te maken! Geen enkel leven gaat over rozen. Nog een druggebruiker ook, nietwaar? Er zou een wet moeten bestaan die types als jij levenslang in staat van faillissement moest kunnen houden. Wat zeg ik? Als ik je dossier zie, zal dat vanzelf wel lukken. Maatregelen, maatregelen, Liphorst!'

Ik keek de kamer binnen en zag Liphorst met een iets te nieuw diplomatenkoffertje op zijn knieen zitten. Zwartvuil duwde mij zijn kamer in en sprak op de toon van een militair dienstbevel: 'Ga daar staan.'

'Ik gebruik geen drugs meer…'

'Snuit toe, zei ik. Pak de papieren, Liphorst. We nemen de maatregelen punt voor punt door. En als er ook maar iets misgaat: gijzeling, desnoods een jaar. Aan faillieten als Mantoua heb ik toevallig vreselijk de pest. De pin op de neus, Liphorst, dat werkt patent bij dit soort. De pin, Liphorst!'

19

Op een maandagmorgen vertrok ik naar Amsterdam. Wat ik aan bezittingen had mogen behouden, liet ik achter omdat ze waardeloos waren of mij toch niet van nut konden zijn. Ik had Liphorst gevraagd of er een wettelijk bezwaar was tegen mijn vertrek uit Zuid-Holland.

'Van mij mag je, als je maar niet naar het buitenland vlucht.'

'Waarom zou ik?'

'Tja, waarom zou je eigenlijk… Je ziet maar. Wat je daar ook doet, een huis huren, enzovoorts, je spookt uit wat je wilt, maar ik weet van niks. Je weet dat je geen handelings- en tekenbevoegdheid hebt, maar ik begrijp best dat je ergens moet wonen en een huurcontract moet tekenen. Van mij mag je, dat wil zeggen: ik wil er niets van weten. Wanneer de rechter-commissaris je erop aanspreekt, dan praat je jezelf er zo goed mogelijk uit. Mijn naam is en blijft haas.'

'Dat heb ik gemerkt.'

'Hoe bedoel je?'

'Ik zei gewoon wat.'

'Alle verdiensten en inkomens geef je aan mij op, je kunt iedere maand – als je genoeg binnen hebt gebracht – een klein maandgeld komen halen. Stuur mij zo gauw mogelijk je nieuwe adres, wanneer je tenminste iets gevonden hebt.'

'Ik begrijp hier niets van: ik mag officieel geen woning betrekken, maar moet je toch een adres laten weten…'

'Het beste,' zei Liphorst.

～

Naast droom kwam de leugen.

Via bemiddeling van een oude kennis kwam ik bij een makelaar terecht die grachtenappartementen verhuurde. Hoewel ik eerst had geprobeerd een goedkope etage in een van de volksbuurten te huren, was ik daar niet in geslaagd en zodoende was ik bij die makelaar terechtgekomen.

'Ik heb wat moois, iets verdomd moois,' zei hij. 'Zeventienhonderdenvijftig gulden per maand, alles inclusief, zelfs bedden, prachtig punt op de Keizersgracht.'

Zeventienhonderdenvijftig gulden, dacht ik.

'U zei...?'

'Ik zei niets.'

'Nogmaals: helemaal geschikt voor uw persoontje. Drie maanden vooruit betalen of een bankgarantie. Dat moet toch geen probleem zijn met uw inkomen. Die baan van u zal toch wel behoorlijk betalen. Blue Print – een van de beste reclamebureaus van het land, ik benijd u. Daar zou ik zelf ook wel willen werken, in die makelaardij is het hollen of stilstaan, maar meestal stilstaan tegenwoordig.'

Blue Print, dacht ik. (Later bleek dat de kennis die mij aan de makelaar had geholpen, mij een goed betaalde betrekking had toegedicht omdat hij wist dat ik anders nooit een dak boven mijn hoofd zou krijgen.)

Ik sprak aarzelend: 'Van bankgaranties houd ik eigenlijk niet zo, ik betaal liever drie maanden vooruit, geeft een safer gevoel.'

'Zo u wilt. Breng *that money* langs, u krijgt de sleutel en kan gaan genieten van een van de allermooiste puntjes van Amsterdam. Ik zou er, bij wijze van spreken, zo zelf willen gaan wonen.'

~

Keizersgracht 654 was een keurig en goed onderhouden pand. In de hal stond een modern bureau waarachter een heer met een vriendelijk gezicht zetelde. 'Ik ben Harder,' stelde hij zich voor. 'Ik ben de huismeester en wil u graag, tegen een kleine vergoeding, bijstaan. Ik kan alles: boenen, strijken, timmeren, schilderen. Zal ik u uw appartement laten zien? Wanneer komen de verhuizers? Dat wil ik graag weten, want dan tref ik enkele voorzieningen zoals wat oude tapijtjes op het marmer leggen, verhuizers willen namelijk nogal 'ns wat lomp zijn.'

'Er komen geen verhuizers. Ik bezit niets.'

'Zulke bewoners moeten ook tot de mogelijkheden kunnen behoren,' lachte Harder, die niet verder vroeg (een aangenaam gedragskenmerk dat ik in al die jaren dat ik met hem te maken zou krijgen meer en meèr ging bewonderen).

'Ik heb alleen een tas met wat kleren en een koffer vol boeken.'

Harder knikte. 'Met de trap of de lift?'

'Trap,' zei ik. 'Dan leer ik het huis een beetje kennen.'

Langzaam draaiden we over het marmer omhoog. 'Op de hoeveelste etage zit ik eigenlijk?'

'De een na de hoogste. Zomers is 't er nogal warm. Hier is 't.'

Harder opende een zware, houten deur die toegang gaf tot een behoorlijke hal die uitzicht op een smalle keuken bood en een trapje dat naar een grote kamer leidde. De kamer bestond uit twee gedeelten.

'Als ik u was…'

'*Je*, alsjeblieft.'

'Dan heb ik graag dat je mij Jaap noemt. Als ik jou was zou ik in het achterste gedeelte gaan slapen, daar staan de bedden al. Het voordeel van die ruimte is dat 't er zomers koel is en dat je bezoek niet direct over de bedden hoeft te stappen als het binnenkomt.'

Ik knikte.

'Je hebt helemaal geen spullen, zei je? In het tuinhuis heb ik nog wel wat meubeltjes staan. Als je die zou kunnen gebruiken, breng ik ze graag boven. Geen chic spul, maar allemaal knap in de was en zonder gaten of stukken d'raf.'

Met de lift daalden Jaap en ik, na de inspectie van mijn nieuwe woning, naar beneden af. We liepen door een grote stijltuin waar achterin een tuinhuis stond met de afmeting van een gemiddelde woningwetwoning. Jaap opende het tuinhuis en ik stond oog in oog met een enorme verzameling alleraardigste meubelen. 'Kijk, dit tafeltje, dat zou prachtig in je keuken kunnen…'

'En wat spoken we deze keer uit?' klonk er vanuit de tuin een scherpe vrouwenstem.

'Och jezus, de eigenaresse van het huis. Een wijf om neer te sabelen, zeg maar niets, ik praat wel even met haar.'

Jaap verliet het tuinhuis en ik hoorde de dame roepen: 'Daar komt niets van in, iedereen zorgt hier voor zijn eigen comfort. We verhuren uitsluitend spaarzaam gemeubileerd, dat wil zeggen: bedden, gordijnen, een enkel dingetje in de keuken. Als ik de tent hier gemeubileerd verhuur, kan ik twee keer zoveel vangen.'

Ik liep naar buiten en voegde een nieuw stuk toe aan mijn bestel van droom en leugen: 'Dag mevrouw, prettig met u kennis te maken.'

'U werkt toch bij Blue Print, heb ik gehoord? Naar verluidt betaalt men daar heel hoge *gages*.'

Na het woord 'gage' zette zich een diepe afkeer voor de eigenaresse in mij vast. Ik vervolgde zo beleefd mogelijk: 'Dat is juist, mevrouw, maar ik ben daar net begonnen. Daarvoor heb ik twee jaar in Chili gewoond en daar hebben de marxisten al mijn bezit in de brand gestoken. Berooid ben ik teruggekeerd, maar natuurlijk zeer tevreden, want eigenlijk ben ik weer terug in het paradijs.'

'Wel, wel, *paradijs,* de marxisten hebben hier ook het een en ander te zeggen. Maar wat vreselijk voor u! Arm kind, ze zijn daar erger dan Hitler en zijn trawanten. Jaap, zoek met meneer de mooiste meubeltjes uit. En kunnen we dan samen een kopje thee drinken? Kun je daar voor zorgen, Jaap?'

'Zo 't u belieft, mevrouw.'

20

De eigenaresse heette mevrouw Warmond. Ze zei: 'Ik heb graag dat u mij met *mevrouw* blijft aanspreken. We hebben hier een chic huis en dat zou ik graag zo willen houden. Niet allemaal van dat joviale. Suiker, melk?'

'Nee mevrouw.'

'*Astu,*' zei ze. 'Punctuele betaling van de huur zou ik ook erg op prijs stellen. Ach, ach, wat ik hier niet allemaal heb meegemaakt! Nette kerels, keurig in het pak, kwamen binnen en vroegen: hoe wilt u de huur betaald hebben, drie maanden vooruit, vier? U zegt het maar. Nou ja, je bent de eigenaresse van een chic huis dus je zegt: stort u het maar iedere maand netjes op mijn bankrekening. Maanden later: nog geen cent ontvangen. Je stuurt een beleefd briefje en enkele weken later is de vogel gevlogen. Maanden gratis ge-woond in een mooi appartement. Wat denk u dat er aan de hand was?'

'Ik heb geen idee, mevrouw; de mafia, een boef?'

'Nee. Wat denkt u werkelijk?'

'Ik zou 't echt niet weten, mevrouw.'

'De desbetreffende persoon was failliet. Ik zeg u: *failliet.*'

'Tsss,' siste ik tussen mijn tanden.

'Daardoor heb ik mijn lesje geleerd. Voordat ik een huurder hier toelaat, doet de makelaar een héél onderzoek. We informeren bij de banken, bij de Centrale Krediet Registratie in Geldermalsen…'

'U zegt?'

'De CKR? Dat is een grote computer en daar wordt iedereen in Nederland met al zijn schulden in opgeslagen. Binnen een paar minuutjes kom je daar te weten of iemand kredietwaardig is.'

'Kan iedereen daar gebruik van maken?'

'Ach, wat is iedereen? Met een relatietje kom je er met weinig moeite binnen.'

Ik lachte gemaakt: 'En dus bent u ook naar mij op zoek geweest? U durft.'

'Maar meneer Mantoua! Er zijn grenzen. Iemand die zulke relaties heeft als u en bij Blue Print werkt, daar vaar ik blind op. Bij zo'n bedrijf nemen ze heus geen wanbetalers of faillieten op. Dat weet u even goed als ik.'

Ik haalde verlicht adem.

'Zullen we nog een kopje gebruiken?' vroeg mevrouw Warmond. Ze schikte haar geblondeerde haar.

～

De staat van het faillissement knaagde in Amsterdam nog meer aan mij dan tevoren. Het bij elkaar scharrelen van de huur lukte de eerste maanden, maar het bedrag kon ik natuurlijk niet via een bank overmaken. Met contant geld moest ik naar het postkantoor om het daar via een postwissel over te maken naar de bankrekening van mevrouw Warmond.

Toen ik haar een keer op de gang tegenkwam, zei ze: 'Vreemd, dat u altijd de huur via *de post* overmaakt, het gaat toch veel sneller via een bank?'

'Natuurlijk, mevrouw, maar ik betaal u van geld…, van geld…, hoe zal ik het zeggen?'

'O jeetje! Zwart. Deugniet! Ik begrijp het. Als je in dit land niet het een en ander zwart doet, knijpen die socialistische ratten in Den Haag je dood. Verstandig, verstandig! Eerlijk gezegd: mijn man en ik doen de helft van al onze geldhandelingen zwart. Je wordt er toch gewoon toe gedwongen, nietwaar?'

Een paar maanden later kreeg ik steeds meer moeite om de huurpenningen op tijd bij elkaar te krijgen. Voorts werden enkele schuldeisers (die 'in het faillissement waren meegegaan' – zo heet dat) ongeduldig. Ik belde de curator: 'Wanneer komt er nu eens een einde aan deze belachelijke toestand? Het duurt nu al vijf jaar en er lijkt nooit meer een eind aan te komen. Elk bedrijf dat failliet gaat, is binnen een week weer open. Ik hoor van iedereen dat een faillissement een zegen is.'

'Voor bedrijven wel ja, maar jij bent persoonlijk failliet en daarnaast heb je een rechter-commissaris die om de een of andere reden de pik op je heeft. Ik zal bij de rechtbank volgende week even navraag voor je doen. Wie weet.'

'Een paar schuldeisers dreigen beslag te laten leggen.'

'Dat kan niet, want je hebt niks en ze kunnen niet om mij heen. Dat is toch gemakkelijk? Je kunt niets uitgeven, maar aan de andere kant kan niemand jou wat maken zolang als je failliet bent en jij je aan de regeltjes houdt,' zei Liphorst oprecht geruststellend.

~

Ik schrok wakker en hoorde Jaap schreeuwen: 'Dat kan toch zo maar niet. Meneer Mantoua betaalt alles, dat durf ik met de hand op mijn hart te verklaren. Ik bel de politie!'

Ik rende in mijn onderbroek naar de deur, hoorde gepulk van metaal in het slot en een lage stem zei: 'Maakt u zich niet druk, huismeester, ik ben van de politie.'

Ik probeerde het slot van binnen open te draaien, maar het zat vast.

'Bent u daar, meneer Mantoua?' vroeg de lage stem.

'Ja. Wat wilt u?'

'Goed. Wij halen de loper uit het slot, dan opent u de deur.'

Dat deed ik en Jaap begon direct met een rood aangelopen gezicht te razen: 'Ik heb geprobeerd om ze tegen te houden, Lothar, maar ze stoven naar boven. Ik...'

'Laat maar Jaap.'

'Meneer Mantoua. Ik ben deurwaarder Tweeslag en kom namens *meester* Oudkens beslag leggen op uw boedel omdat u...' Deurwaarder Tweeslag bladerde zoekend in zijn documenten en vervolgde: 'Een schuld van achthonderdenvijftig gulden, bij deze en tot nu toe vermeerderd met een bedrag van zeshonderdenvijfendertig gulden en zevenendertig cent nog steeds niet voldaan heeft, terwijl de rechtbank op twaalf...'

'Houdt u maar op,' zei ik geïrriteerd.

'Agent Zwijnstra,' stelde een man in uniform zich voor. 'Ik houd toezicht op het zich verschaffen van toegang tot uw appartement waarvoor de rechtbank op 18 mei jongstleden toestemming heeft verleend en waarvoor...'

'Houdt u óók maar op. Komt u binnen.'

De deurwaarder begon direct rond te kijken en noteerde alles wat hij zag op een blocnotevel.

'Heren, heren!' zei ik. Jaap schudde kwaad met zijn hoofd. Ik zag dat hij verwachtte dat ik een verlossend woord zou spreken en de deurwaarder en de hem begeleidende politieagent beschaamd zouden afdruipen. 'Heren, u kunt zich de moeite besparen. Er is, voor zover ik iets heb, al jaren geleden beslag op gelegd. Ik verkeer in staat van faillissement en dat weet advocaat Oudkens maar al te goed. Wat u doet is onrechtmatig. Meneer de deurwaarder, hier is de telefoon, als u het nummer van mijn curator even belt, dan zult u overtuigd raken van hetgeen ik gezegd heb.'

Een paar minuten later dropen de deurwaarder en de politieagent af.

'Wat een truc,' riep Jaap, 'hoe krijg je het voor elkaar!'

'Ik ben echt failliet, Jaap. Ga even zitten, dan leg ik je, onder ons, alles uit.'

21

Jaren na het eerste gesprek met Jaap over mijn faillissement kwam hij – ik bewoonde inmiddels een eigen grachtenpand en had het beheer over mijn eigen gelden teruggekregen – bij mij in dienst als 'huisman'. Hij regelde de beslommeringen van het dagelijkse leven, deed de was en de afwas, hield ongenode gasten van de deur en verrichtte zo nodig herstelwerkzaamheden in mijn keurig gerestaureerde woning. Hoewel een zware hypotheeklast op mij drukte kon ik mij toch nagenoeg alles veroorloven. Dat was een zoet genoegen na de ondergane vernederingen. Maar er heerste, ondanks het genoegen, voortdurend een onbestembare angst in mij. Vanaf het moment dat ik het pand kocht, werd ik omringd door ten minste twee louche makelaars, drie aannemers die het oplichten tot een kunst hadden verheven en door zeker vijf 'adviseurs' die zich schandelijk misdroegen.

Voor slecht of in het geheel niet uitgevoerde werkzaamheden brachten zij enorme bedragen in rekening, maar stonden desondanks op stipte betaling. Wachtte ik een weekje met betalen, dan kwamen zij met deurwaarders of bracht de post een brief van een gerenommeerd advocatenkantoor. De vrees dat ik opnieuw failliet verklaard zou worden bracht mij ertoe alle rekeningen – af en toe terecht, maar meestal ten onrechte – tot op de laatste cent te voldoen. Zodoende was het aan mijn deur een komen en gaan van geldeisers. De brutaliteit die mij voor mijn faillissement nogal eens eigen was, had mij geheel verlaten. 'U wacht maar een maandje met betaling,' riep ik zelfs de onredelijkste schrijver van een rekening niet meer toe. In december 198- kwam ik tot de conclusie dat er een soort karaktermoord op mij gepleegd moest zijn. Het gevoel van wanhoop nam zulke groteske vormen aan dat ik in een toestand van geestelijke inertie raakte.

Een staat die ik eerder had gekend. Hoewel mijn omstandigheden een stuk rianter waren dan tien jaar eerder en ik mijn financiële administratie aan anderen had overgelaten, begon het mij bekende gedrag weer de overhand te krijgen: ik maakte bankafschriften niet meer open, gooide rekeningen ongeopend in een lade, reageerde niet meer op de meest vriendelijke en redelijkste telefoontjes waarin om betaling werd gevraagd. Ik ging steeds minder naar mijn werk, meldde mij dikwijls ziek en lag steeds vaker tot diep in de middag op bed. Ik luisterde naar de geluiden van de stad en snikte 's avonds om drakerige films die ik op de televisie zag. Ik dronk meer dan goed voor mij was en vertelde mijn vriendin terwijl ik boven mijn tiende glas wijn hing: 'Ik word gek. Misschien moet ik wel zeggen: wéér gek.'

~

'Hoe bedoel je?' vroeg Ruth die zelden een zin uitsprak die meer dan tien woorden bevatte.

'Ik heb iets met geld dat niet klopt. Eigenlijk kan ik alles redelijk goed verdragen: dood, hard werken of liefdesverdriet, maar van zaken die met geld te maken hebben, raak ik in ontreddering.'

Ruth keek mij aan; zonder mimiek.

'Misschien moet ik 't anders uitleggen. Van verdriet of vanwege een sterfgeval krijgen de meeste mensen depressies of zijn ze een maand somber, maar daar heb ik niet zo'n last van. Ik reageer door de jaren heen eigenlijk steeds hetzelfde: ik staak alle handelingen die met geld te maken hebben. Zelfs als ik geld genoeg heb, weiger ik betalingen te verrichten. Ik leef, geloof ik, in de veronderstelling dat mensen die niets met mijn verdriet te maken hebben daarvoor toch financieel gestraft moeten worden.'

'Er is nu toch geen reden om verdrietig te zijn, behalve dat je de laatste tijd een beetje opgelicht bent door dat aannemerstuig?'

'Klopt. Het is nu eigenlijk andersom. Schuldeisers hebben de verschrikkelijkste wraak die zij kunnen toepassen – het faillissement – over mij afgeroepen en daarom ben ik nadat die periode voorbij was goed op gaan passen. Wie er maar een dubbeltje te vorderen had, werd door mij bediend. En wat is het resultaat? Dat ik links en rechts word opgelicht, maar dat ik het middel van betalingsweigering niet meer durf toe te passen...'

Ik ben zo bang dat ze mij weer grijpen. Bij de belastingen klagen? Ik kijk wel uit; de angst dat ze beslag leggen, houdt mij daarvan af. Ik maak belastingenveloppen niet eens open. De boekhouder zei pas: "Dat moet u af en toe wel doen, hoor, ik vond onlangs twee teruggaven van bij elkaar achtduizend gulden." Door dat faillissement ben ik kinderlijk bang geworden, waardoor ik mij steeds ongelukkiger ga voelen. Eigenlijk had ik – toen die advertentie in de krant stond dat "mijn staat van faillissement werd beëindigd omdat ik alle schulden voldaan had" – met opgeheven hoofd door de stad willen gaan lopen; het liefst had ik geroepen: "Ik ben Lothar Mantoua! Het enige Nederlandse failliet dat al zijn schulden tot op de laatste cent heeft terugbetaald!", maar ik ben juist schichtiger geworden, doodsbang. Er zou een soort vereniging moeten bestaan die ex-faillieten en mensen die nog steeds in staat van faillissement zijn helpt.'

Ruth dacht na. Langzaam zei ze eindelijk: 'Ik vind jou niet zo iemand om een actiegroep op te richten. Je zegt zelf altijd dat je verenigingen als "Ouders van jonggestorven kinderen", "Slachtoffers van vroeg ontwrichte gezinnen" of "Ex-gekken maken een vuist" niet zo ziet zitten.

Je wilt mij toch niet vertellen dat je een club van voormalige failliete mensen op wilt richten. Een club! Dat is toch niks voor jou!'

'Nee. Maar ik weet niets anders.'

~

In januari 198- was ik niet meer in staat om zelfs het eenvoudigste werkje naar behoren op te knappen. Ik reisde wat, maar vond nergens rust. Op een eiland in de Middellandse Zee kon ik mij er niet van weerhouden om naar huis op te bellen om te controleren of de telefoon niet was afgesloten, terwijl de telefoonbetaling automatisch geschiedde en voor de zekerheid door mijn boekhouder regelmatig in de gaten werd gehouden. Ik belde bewust het nummer waarop mijn antwoordapparaat aangesloten was. Daardoor kon ik tevens controleren of er nog elektriciteit geleverd werd; mijn antwoordapparaat functioneerde door middel van 220 volt.

Voor het eerst in vele jaren voelde ik zelfmoordneigingen. Staande op een hoge rots wilde ik mij in zee storten. Later dacht ik: *pathetisch,* en dronk een fles wodka op mijn hotelkamer leeg. De volgende morgen was ik nog zieliger. Ik begon te verlangen naar een wereld zonder geld, zonder bezit en zonder bankrekeningen. Ik wilde terug naar Western-Samoa. Daar was ik, daags na de opheffing van mijn faillissement, heen gereisd omdat ik gelezen had dat de bewoners van deze Zuidzee-archipel in absolute, geldvrije harmonie zouden leven.

Tweede deel

1

Het is aardedonker wanneer het vliegtuig uit Hawaii, via American-Samoa, op Faleolo International Airport aankomt. 'Als dit *international* is, kan Andorra zich de machtigste staat van de wereld noemen,' zeg ik tegen mijn reisgezel. We worden naar een barak gedreven waar behalve ons tweeën uitsluitend reusachtige Samoanen – schoenmaat 50 – staan die grote dozen in de armen of op het hoofd dragen. Onder de rokken van de Samoanen steken dikke, glimmende kuiten. 'Volgens mij politoeren ze hun benen,' zegt mijn reisgenoot. Een douaneambtenaar wenkt ons naar een houten tafeltje. Hij gaat zitten en vraagt in gebroken, maar aangenaam zangerig Engels: 'Wat komt u hier doen?' Hij wacht mijn antwoord niet eens af, bekijkt mijn paspoort nauwgezet en leest langzaam *Ko-nink-rijk der Ne-der-lan-den*. Hij herhaalt het nog eens voor zich zelf, kijkt naar het plafond waar doorheen een adembenemende sterrenhemel te zien valt en trekt zachtjes aan de blaadjes van mijn paspoort.

'Europe,' zeg ik.

'Europe,' herhaalt de douaneambtenaar en hij lijkt niet iets bekends te horen.

'Wat komt u hier doen. Margaret Mead?'

Ik schud van nee.

'Margaret Mead! Als ze van verre komen, komen ze daarvoor! Allemaal leugenpraatjes, meneer. Dat boek is bijna zestig jaar oud en zestig jaar geleden klopte het ook al niet. Als u door het lezen van haar boek hier bent gekomen, kunt u het best het eerste vliegtuig terug nemen. Margaret Mead! Tsjguuh!'

'Daar kom ik niet voor, meneer. Ik heb haar boek maar half gelezen, ik vond het vervelend, langdradig…'

De ambtenaar glimlacht en krabt onbeschaamd in zijn kruis.

'Ik kom voor Robert Louis Stevenson, R.L.S., *Tusitala*,' zeg ik nadrukkelijk.

'Ah! Tusitala! Great man, friend of Western-Samoa, we love him, you love him too?'

Ik knik enthousiast.

Een paar minuten later sta ik met twee bladzijden stempels meer in mijn paspoort op een dampend veldje in de duisternis.

'Mister Mantoua? Mister Berberse?' klinkt het opeens op tussen angstaanjagende vogelgeluiden. 'Ik kom u halen. Ik breng u met een busje naar uw hotel. Geeft u uw bagage maar.'

De man die ons heeft aangesproken is even rijzig als zijn landgenoten die ik al ben tegengekomen en toont dezelfde, bijna ouderwetse galantheid.

'Waar komt u vandaan?' vraagt de chauffeur als hij het busje gestart heeft.

'Holland,' zeg ik.

'Holland,' herhaalt de man in grote onwetendheid.

'Europe,' voeg ik eraan toe.

'Europe,' herhaalt hij even onwetend.

'World,' probeer ik als een kleine jongen die vroeger onder zijn adres 'Wassenaar, Holland, Europa, de Wereld' schreef.

'Ah, world! Beautiful place! Do you know the world? We, world!' roept de chauffeur in een schok van herkenning tevreden.

⁓

Over de dertig kilometer redelijk begaanbare weg die van het vliegveld naar Apia voert, heb ik al veel gelezen. De route heeft een mythische klank in de reisliteratuur. Talloze malen werd zij bezongen, bijvoorbeeld door Nelson Eustis, zeven jaar voor mijn bezoek: 'De weg die van het vliegveld naar de hoofdstad voert, is een van de mooiste van de Pacific. Zij voert door tientallen dorpjes, langs aanplantingen met bananebomen en een rijkdom aan andere, tropische woudreuzen en door enkele van de grootste kokosnootplantages van de Zuidelijke Pacific. Zij laat de reiziger een ongewone verzameling kerkgebouwen in de wonderlijkste stijlen zien.'

De ochtend waaiert goud open wanneer we halverwege zijn. Langs de weg lijken de eilandbewoners te ontwaken. Dat wil zeggen: er valt overal beweging te bespeuren onder kleden die op de bedden liggen. De bedden, die eruitzien als ouderwetse hospitaalledikanten staan bijna in de open lucht. Zij en de slapers worden slechts beschermd door een dakje van palmbladeren dat op een paar palen rust. Muren of wanden vereist het tropische klimaat blijkbaar niet.

Het ontwaken van de bevolking is een vervreemdende gebeurtenis die bij mij ontroering oproept. Terwijl het busje zachtjes ploffend op weg is naar het hotel, zie ik dikke kuiten onder de kleden vandaan komen, komen er vrolijke hoofden omhoog en bespringen scharminkelige honden de bedden van hun bazen en bazinnen.

'Je gelooft het toch niet,' is het enige dat mijn reisgezel weet op te merken.

Ik heb er niet veel meer aan toe te voegen.

De chauffeur wijst ons, trots als een aap, traditioneel op de verkeerde dingen: een zojuist geopende kerk, gebouwd in een gruwelijk moderne stijl, een modern ogende fabriek waarin melk wordt verwerkt en een rood huisje van baksteen dat iets met elektriciteit te maken moet hebben.

De prachtige monotonie van ontwakend Western-Samoa ontrolt zich langs honderden *fale's*, zoals de hutten heten. Het is een meeslepende eentonigheid. Het lijkt wel alsof het opstaan in het prinsdom centraal geregeld is, want elke honderd meter verder en elke minuut later is het ritueel ietsje verder gevorderd. Op een gegeven ogenblik lijkt het stadium van het uitkloppen der kleden aangebroken, terwijl een stukje verder het oprollen al aan de gang is en weer iets dichter naar de hoofdstad toe de hutbewoners zich zittend op de grond, midden tussen de bedden, vertonen. In de 'buitenwijk' van Apia staan de meeste mensen al langs de weg.

'Waar gaan die naar toe?' vraag ik de chauffeur.

'Die wachten op collega's. Samen lopen ze naar hun werk op de plantages die in de buurt van het vliegveld liggen. Als we nu terug zouden rijden, zouden we halverwege heel grote groepen arbeiders zien lopen. Met kapmessen op hun schouders en soms zingend. Liederen over vroeger, over de arbeid van het kappen. Mooie liederen, in het Samoaans. Spreekt u Samoaans?'

'Nee, meneer,' antwoord ik.

'Geen meneer! Noem mij *vriend*.' De chauffeur stopt de auto, stapt uit, doet het portier aan mijn kant open, maakt een wat ongelukkige buiging en zegt: 'Ik ben uw vriend. Wilt u de mijne zijn?'

Wat ongemakkelijk en verlegen antwoord ik: 'Ja, natuurlijk, oké.'

De chauffeur stapt weer in en zegt verheugd: 'Dan zijn wij vrienden, voor altijd. Ah! We zijn er.'

De chauffeur draagt onze bagage een pad op dat leidt naar een grote, met palmbladeren afgedekte, ruimte.

'Wij zijn vrienden,' zegt hij trots.

Ik geef hem wat geld en onmiddellijk betrekt zijn gezicht. 'Dat zou een belediging zijn. Vrienden betalen elkaar niet. No money, oh no!' De chauffeur lijkt bijna zijn auto in te vluchten. Ik zwaai naar hem. Bij wijze van groet schudt hij zijn krullebol zachtjes op en neer. En schatert van het lachen.

2

De eerste dagen op Western-Samoa breng ik in verbazing door. Ik loop talloze malen de Beach Road op en af, kijk naar de politieagenten die keurige uniformrokjes dragen (het aantal verticale strepen dat erop genaaid is, geeft de rang aan), loop de loodsachtige, houten gebouwen binnen waar allerlei goederen te koop worden aangeboden en verbaas mij nog het meest over de keurige armoede. Armoede in Afrika leidt altijd tot taferelen van chaos, begrijpelijke bedelarij en schrijnend-magere, naakte lijven, maar op

Western-Samoa staan de inwoners keurig in de rij te wachten op drie blikken conserven die op een plank staan. Als nummer drie in de rij het laatste blik gekocht heeft, wandelen de klanten die achter hem stonden rustig de loods uit. Geen gemor, geen geklaag.

De communicatie is soms uitermate moeilijk. Kinderen spreken bijna geen Engels omdat een betrekkelijk nieuw, nationalistisch gevoel de regering heeft doen besluiten het Engels als eerste taal op school af te schaffen. Dus praten en schrijven de kinderen Samoaans, een taal waar onwaarschijnlijk veel a's en o's in voorkomen. De onregelmatig verschijnende kranten openen weliswaar nog met een Engelstalige pagina, maar de volgende bladzijden zijn gevuld met de niet te bevatten hoeveelheid klinkers.

De middenstand heeft een klein beetje de neiging westers te denken. Dat wil zeggen dat men af en toe geld voor goederen probeert te vragen. Een eeuwenoud gebruik op Samoa wil echter dat er geen particulier bezit is en dat je alles met iedereen moet kunnen delen. Dat heeft velen ertoe gebracht hun op westerse leest geschoeide winkeltje – alles heeft zijn prijs – toch maar weer te sluiten. Menige winkeleigenaar sloot 's avonds zijn goedgevulde winkeltje om het de volgende ochtend geheel leeg aan te treffen.

Het enige dat op Western-Samoa doet denken aan de moderne wereld is de alom aanwezige Coca-Cola.

Het wordt in talloze hutjes aan de Beach Road te koop aangeboden. Na een paar dagen heb ik begrepen dat het betalen voor Coca-Cola eigenlijk niet nodig is. Voor vier lege flesjes krijg je één volle terug. De flesjes worden door de enkele toerist die het eilandenrijkje aandoet en door rijkere Samoanen langs de weg achtergelaten. Kleine jongens verzamelen met een ongelooflijk fanatisme lege flesjes; ze zitten dikwijls met tientallen aan mijn voeten en houden begerig het steeds lager wordende cola-niveau van mijn flesje in de gaten. Als ze vier lege flesjes verzameld hebben, ruilen ze die in en dit gedrag geeft aanleiding tot een bizar tafereel: als de schemering valt, zitten honderden jongetjes boerend, tot aan hun nek volgegoten met cola, rond de lagune van Apia. Met veel handen- en voetenwerk krijg ik uit één jongetje wat informatie.

'Waarom prop je je vol met cola?'

'Dat doen ze in Amerika ook.'

'Maar 't voelt toch helemaal niet lekker?'

'Tja. Niet helemaal. Maar ik voel me wel rijk, zoals een Amerikaan.'

~

Dagenlang praat ik met prinsen en bestuurders. Er zijn veel prinsen op Western-Samoa en nog veel meer adellijke burgers, *matais* genaamd. Fay Calkins, een Amerikaanse, is met een *matai* getrouwd: Vai Ala'ilima. Ik ga naar hem op zoek. De speurtocht leidt naar zijn 'graafschap' dat via een moeilijk begaanbare bergroute aan de andere kant van het hoofdeiland ligt.

In menig huttendorp spreekt men zijn naam met ontzag uit, maar ze hebben hem al lang niet meer gezien. Een dorpeling staat mij vanuit zijn bed te woord: 'U moet in Apia zoeken, daar heeft hij een groot huis en daar woont hij met zijn vrouw.'

'Vai' – een woordje dat men als zijn voornaam zou kunnen beschouwen – staat gewoon in het telefoon boek. Zijn vrouw neemt op. Ik vertel dat ik haar boek *My Samoan chief* met veel plezier gelezen heb en zo verwonderd was over hun eerste ontmoeting die plaatsvond in de Library of Congress te Washington. Een paar prachtige zinnetjes die het verschil tussen twee culturen zo aardig weergeven en die hun eerste ontmoeting beschrijven: '"Mijn naam is Ala'i, maak een kuchje tussen de *a* en de *'i*," zegt hij met een aanstekelijke lach. "Maar ik stel voor dat je mij Vai noemt en dat we buiten een Coke gaan drinken."'

Twee avonden later zitten mijn reisgezel, het Samoaans-Amerikaanse echtpaar en ik in een restaurant aan het einde van Beach Road. Jade Garden Restaurant staat onder een onheilspellende hemel tussen klapperende palmbomen. Het is een opgeknapt Duits, koloniaal huis. De lucht drukt zwaar en hoewel de ramen openstaan en de wentelwiek van een ventilator op volle snelheid boven ons draait, is het nauwelijks uit te houden. Af en toe valt de elektriciteit uit en we drogen ons in de loop der avond steeds meer met onze servetten af. Als ik naar buiten kijk, zie ik flarden donkere wolken voorbijtrekken en hoor ik in de verte de zee zachtjes klopgeluiden maken.

Vai is een grote man aan wie je alles kunt vragen. Alleen antwoordt hij niet. Pas als alle gangen van het diner gepasseerd zijn, geeft hij antwoord op mijn vragen. Op dat moment realiseer ik mij dat een etende Samoaan zwijgt en pas op vragen reageert wanneer hij uitgegeten is. Als Vai bezig is mij uit te leggen hoe het financiële en economische systeem van Western-Samoa werkt, lijkt de hemel open te barsten. Zweepslagen van donder, zwiepende regenbuien. Door de openstaande ramen waait van alles naar binnen. Vai lacht, het bedienend personeel staat glimlachend op een rij achter in de eetzaal.

'Je moet met een Samoaan ook niet over geldzaken praten,' zegt Vai raadselachtig.

~

Als ik afscheid neem van Vai heeft hij mij al tot *matai* benoemd, kan ik bij terugkeer naar Western-Samoa recht doen gelden op een stukje land en verder zou hij het erg op prijs stellen wanneer ik mij in mijn vaderland als consul van Western-Samoa zou vestigen. Verward probeer ik twee uur later in mijn hotelhut in te slapen, maar ik word wakker gehouden door de salamanders die overal rond en over mij heen schieten. En één zin van Vai en zijn vrouw schiet almaar door mijn hoofd: 'Natuurlijk brengen we u naar het vliegveld.'

Een soortgelijk aanbod doet iedere inwoner van Apia en de andere dorpen met wie ik in gesprek raak. Ik vrees dat ons vertrek uit Western-Samoa een rij van alle op het eiland aanwezige auto's, afgeladen met zingende Samoanen, te zien zal geven en daarom vertrekken wij op een stralende morgen een beetje stiekem naar het vliegveld. Via American-Samoa komen we vele uren later op Hawaii aan waar de Coca-Cola-cultuur ons tegemoet schreeuwt en de ogen van iedereen dollartekens lijken te vertonen.

Er zet zich vanaf dat moment een bijna pijnlijke liefde voor dat kleine prinsdom in de Zuidzee in mij vast. Ik hoor Vai zeggen: 'Natuurlijk mag u dit diner niet betalen; dat zou een belediging zijn!'

3

De beëindiging van mijn faillissement geschiedde op een vreemde manier.

Mevrouw Warmond kwam er op een gegeven moment achter dat ik toch niet zo goed in de slappe was zat. Ze moest steeds langer op de huurpenningen wachten. Uiteindelijk besloot ze mij, na een proces voor het kantongerecht waarbij ik mij niet vertoonde, uit het appartement te laten zetten. Via een makelaar kwam ik bij een eigenaar van een ander appartement – toevallig ook weer aan de Keizersgracht – terecht. Mijn gelieg over de hekel die ik aan bankrekeningen zou hebben, enzovoorts, herhaalde zich en het lukte voor een tweede maal. Op een dag verhuisde een jongere broer met een geleende vrachtwagen mijn enigszins in volume toegenomen boedel.

Het eerste jaar lukte het betalen van de huurpenningen met een door iedereen aanvaarde, maar onzekere regelmaat. In het tweede jaar van mijn bewoning van Keizersgracht 36 ging het weer mis. Toen de eigenaar mij er bijna uit wilde laten zetten, ging het gehele appartementengebouw over in de handen van een gezellige, louche man met een baard, een te dikke buik en een iets te vlotte tong. Hij stelde zich op een ochtend in de centrale hal van het gebouw voor met de volgende zin: 'Jij bent Lothar Mantoua, ik ben Tom van Dak. Ik heb een probleem omdat jij de huur niet of slecht betaalt en jij hebt ook een probleem. Kom daar morgen 'ns over praten op mijn kantoor.'

Het kantoor bestond uit een aantal kamers, waarvan er één een ruime zaal was met achttiende-eeuw-se muurschilderingen en meubilair. 'Koffie?' vroeg Van Dak die mij even later aan zijn vrouw voorstel-de: 'Dit is Wil; suiker, melk?'

Van Daks buik paste net tussen de armleuningen van het achttiende-eeuwse, fragiele stoeltje en hij sprak op rustige toon: 'Heb 't effe laten nakijken. Je bent dus failliet. En al zoveel jaren! Hoe kan dat nou, je verdient toch een smak geld?'

Na van de schrik te zijn bekomen, antwoordde ik zenuwachtig: 'Het is voor mij ook een raadsel. Ik heb een curator die volgens mij de zaak flest of half de-biel is.'

'Wie is het?'

'Ene Liphorst.'

'Liphorst! Die man die zo slist? O jezus, die ken ik. Zo'n beginnend advocaatje en nog heel links ook, als ik mij niet vergis. Het zal mij niks verwonderen wan-neer jij zijn eerste failliet was en dat hij zijn praktijk de eerste jaren op jouw kosten heeft laten draaien. Liphorst, tjonge, tjonge, je treft het wel! Je moet uit dat faillissement, jongen. Ik help je wel, die huur kan wel even blijven zitten. Ik bel direct Goudstaart, die heeft je er binnen een paar weken uit.'

'Dat heb ik allemaal geprobeerd. Als ik een advo-caat wil nemen, moet mijn curator toestemming verlenen en dat doet hij niet. Het is een vicieuze cir-kel…'

'Gelul! We zeggen gewoon dat iemand voor jou die advocaat betaalt, ik regel wel wat. Kun je donderdag? Ja?'

Van Dak pakte de telefoon en regelde een afspraak met Goudstaart op zijn kantoor.

Ik liep naar huis en dacht: hierdoor kom ik waarschijnlijk in nog grotere moeilijkheden.

~

Goudstaart had een aardig gezicht, was klein en had niets van een advocaat. Hij stelde zich voor als Gerard.

'Vertel het 'ns,' zei hij.

Ik legde mijn verhaal uit en Goudstaart concludeerde: 'Vreemde zaak, dat zou toch niet moeten kunnen, maar ik begrijp er wel iets van. Je verdient behoorlijk wat en het meeste daarvan krijgt Liphorst in handen. Je hebt natuurlijk ook een belastingschuld en die wordt almaar hoger. Hij spaart dus voor de belastingen en jij werkt steeds harder, daardoor worden de komende aanslagen nog hoger... Tja, zo kom je nooit uit een faillissement. Die Liphorst heeft zeker nooit met de belastingen gepraat?'

'Ik geloof van niet.'

'Dat zou natuurlijk het eerste zijn geweest dat hij had moeten doen. Uitstel bij de belastingdienst vragen, je andere schulden betalen. Ik ga er achteraan.

Over mijn honorarium praten we wel als die hele zaak is afgehandeld. Een paar weekjes, misschien twee maanden, maar dan is het voor elkaar. Geloof mij, Lothar.'

'Zie je wel!' riep Van Dak enthousiast toen Goudstaart het kantoor verlaten had. 'En als die zaak geregeld is, heb ik een leuk kooppandje voor je aan de Keizersgracht. Met zo'n inkomen móét je kopen!'

'Ik kan toch niks kopen.'

'Wel als die zaak achter de rug is. Ach ja, formeel zitten er wat haken en ogen aan, de banken geven niet graag een hypotheek aan een ex-failliet, maar daar passen we wel een mouw aan. Laat dat maar aan mij over. Koffie? *Wil! Wil! Kun je nog een kopje koffie brengen voor Loot?'*

∽

Ik had van Van Dak een koosnaampje gekregen en had er binnen korte tijd twee echte vrienden bij: Tom van Dak en Gerard Goudstaart. Weliswaar merkte ik al spoedig dat Van Daks zaken zich op de rand van het betamelijke afspeelden, maar ik nam aan dat mij niets kwaads kon gebeuren, want de makelaar was een en al openheid. Toen ik enkele maanden later bij hem op kantoor zat, viel er een kleine politiemacht binnen. Agenten riepen: 'Niets aanraken. We leggen beslag op de administratie van uw bv's De Gele Arend en Zwevend Zwart.' Van Dak stond op, wees twee laden aan en zei volkomen beheerst: 'Daar zitten de documentjes in van de bv'tjes die u bedoelt. Gaat u rustig uw gang. Koffie, heren?'

Ik keek Van Dak verbaasd aan toen de agenten weg waren.

'Ach ja,' zei de makelaar die aan een dun sigaartje trok, 'dat heb je steeds, hè, laat je een bv'tje ploffen en dan zijn er natuurlijk mensen die 't daar niet mee eens zijn. Kan mij weinig schelen, er zat niets meer in die bv'tjes en verder staan ze toch op Wils naam. We hebben 't samen slim geregeld, weet je. Als je 't helemaal volgens de wet doet in het vastgoed, kun je beter inpakken. Begrijp mij, in jouw geval doe ik alles precies volgens de wet. Dat zou ik alleen al doen omdat ik mijn goeie relatie met Goudstaart niet wil verpesten. Jij hoeft je helemaal geen zorgen te maken. Ken je Wittekamp, die man van die pandjes op de Brouwersgracht? O, gottegod, wat heb ik die een loer gedraaid. Ik had een bv'tje dat ik kon omzetten en toen wist Wittekamp niet…'

Van Dak kletste tot de avond viel. Hij was werkelijk een vriend geworden. Natuurlijk: hij wás een scharrelaar, maar ík zat goed. Ik kon toch precies zien en horen wie en waarom hij bedroog? Van Dak was de eerste en de enige die gedurende een faillissement, dat zich bijna een decennium zonder enige zin of nut voortsleepte, de helpende hand bood. Ik dacht er zelfs over om hem aan het einde van het jaar 198- een kerstkaartje te sturen.

4

Van Dak bracht een groot aantal nieuwe mensen in mijn leven: een hypotheekgever die nergens mee zat, een aannemer die het rustig aandurfde om nog vóór de beëindiging van mijn faillissement aan de restauratie van een door mij te kopen grachtenpand te beginnen, een notaris die bereid was om contracten zelfs ongelezen van zijn goedkeuring te voorzien en een tiental andere heren die mijn financiële situatie (en desnoods ook nog mijn leven) wilde reorganiseren.

Het ging mij allemaal te snel. De enige uit het universum van Van Dak die betrouwbaar leek en legaal handelde, was advocaat Goudstaart. Na enkele maanden had hij mij inderdaad uit het faillissement gehaald en verscheen er in een provinciaal dagblad een advertentie waarin daar kennis van werd gegeven. Ondanks het feit dat ik vanwege mijn beroep nogal eens in het nieuws was en een gewilde gast in televisiepraatprogramma's geworden (om over de ethiek van de reclame en dat soort zaken te spreken), leek niemand die advertentie gelezen te hebben.

Mijn faillissement, dat zoveel jaar geduurd had, was aan slechts heel weinig bekend geworden. Alleen mijn intiemste vrienden waren ervan op de hoogte geweest.

Nadat Goudstaart zijn juridisch getouwtrek met de rechter-commissaris en curator Liphorst ten einde had gebracht, ontdekte hij dat Van Dak een notoire oplichter was. De contacten tussen de projectontwikkelaar/makelaar Van Dak en de advocaat werden verbroken.

Ondertussen was ik echter met Goudstaart bevriend geraakt en kwam ik bij hem thuis. Het waren avonden waarop Goudstaart, zijn verrukkelijke vrouw Winny en ik verschrikkelijk dronken werden. Op zo'n avond zei Goudstaart: 'Lothar, wat ik nu allemaal over die Van Dak te weten gekomen ben! Je moet verdomde oppassen met die knaap, want hij is waarschijnlijk de enige die je voor een tweede keer in het faillissement zou kunnen storten.'

∼

'Fantastisch voor je, jongen, ik zei je toch wel dat die Goudstaart een slim kereltje is,' grijnsde Van Dak.

'Ik ben je reuze dankbaar,' zei ik gemeend.

'Laat maar, hoort erbij. Loop even met mij mee. Heb je tijd? Jongen, jongen, jongen, wat ik je nou zal laten zien. Je zal ervan watertanden. Helemaal geschikt voor jouw verzameling plaatjes en prentjes. Honderden meters vlakke muur, en hóóg! En wat zal 't kosten? Voor jou ver onder de prijs en dan ook nog 'ns pico bello afgebouwd. Je hebt die aannemer bij mij toch wel eens ontmoet?'

'Die man in dat nette pak? Die leek helemaal niet op een aannemer…'

'Is-ie ook eigenlijk niet. Het is een *gentleman* die toevallig zijn bouwdiploma's heeft gehaald.'

'Hoe heet hij ook weer?'

'Sloopink. Nou, die Sloopink en ik hebben een pandje aan de Keizersgracht op de kop kunnen tikken… Wat zeg ik? Een *pandje*… een kasteel, kan ik beter zeggen! Een tuin, jochie, die is zo diep dat het lijkt alsof hij naar achteren in een punt loopt. Dat kasteel, daar komen vijf appartementen in. Maar *chic*! Bubbelbadje, zwembadje, knap saunaatje en de benedenetage, jongen, die is voor jou meer dan geschikt. Hier is 't.'

Een paar granieten treden, een zware deur en daarachter lag een immense ruimte. 'Jezus,' riep ik.

'We laten de voorgevel staan, maar verder jassen we er alles uit. Moet je kijken…' Van Dak nam grote passen. 'Zeventien meter diep zou dat museum voor je plaatjes en je schilderijtjes kunnen zijn. Hangen we er ook nog een entresolletje in – maak je een werkkamertje van – en daarachter komen de slaapkamers, *slaapzalen*. Twee badkamers en een grote woonkeuken waar je u tegen zegt plannen we in het souterrain. En kijk 'ns in de tuin. Eeuwenoude eiken, die zouden van jou kunnen zijn, die krijg je er gratis en voor niks bij. Ik heb veel restauratie-objectjes gezien in de binnenstad en ik huil nooit, maar als ik dit zie – tjonge, tjonge – de tranen springen mij in de ogen.'

Van Dak pakte een zakdoek, wreef in zijn ogen en liet een licht snikkend geluid horen.

'Wat zou het moeten kosten?' vroeg ik.

'Wie praat er nu over geld als je zo iets ziet!'

'Nou ja, ik zou toch een beetje een idee moeten hebben.'

'Afgebouwd?' vroeg Van Dak die zijn zakdoek opborg en wiens ogen nat en rood waren geworden.

Ik knikte.

'Vierhonderdvijftig.'

'Duizend,' vulde ik aan.

'*Of course,*' sprak de projectontwikkelaar.

'In geen geval wil ik meer dan drie ton voor een woning betalen. Ik ben net van mijn zorgen af en dan zou ik mij al weer voor zoveel geld in de schuld moeten steken. Vierhonderdvijftigduizend! Het is geen kattepis.'

'Groot denken, knul. Als de socialisten het voor het zeggen kregen, woonden we allemaal in een hondehok. Of misschien wel in een kattebak. Ik laat wel wat tekeningetjes maken.'

'Het is toch echt te veel.'

'Dan zal ik genoodzaakt zijn om je uit je huurpand te laten zetten. Per slot van rekening kan ik daar genoeg huurders voor vinden die wél kunnen en willen betalen.'

~

De volgende dag had ik al tekeningen in huis. Een begeleidend briefje van Van Dak gaf te lezen: 'Beste Loot. Hierbij de tekeningen. Ik heb wat zitten rekenen en cijferen, maar voor vierhonderdvijfentwintig zou ik het nog nét kunnen redden. Maar: mondje toe, 't is een vriendenprijsje. Met Tonnie heb ik een afspraak gemaakt dat jullie bij mij op kantoor elkaar even kortsluiten over de hypotheek. Hij heeft een leuk voorstelletje. Kom je gauw even lekker leuten op kantoor? Zou Wil ook leuk vinden.'

Ik had niet om tekeningen gevraagd, ik wilde geen hypotheek van bijna een half miljoen en had nog nooit iemand ontmoet die 'Tonnie' heette.

Van Dak had een diabolische charme, een overredingskracht van bovennatuurlijk formaat, want een paar dagen later zat ik op zijn kantoor met Tonnie te praten alsof ik hem al jaren kende. Ook Sloopink was aanwezig.

'Mooi getekend, dat museumpje voor jou, hè?' informeerde Sloopink.

'Ja, maar die palmen erin, dat zou ik nooit willen en zo'n zitkuil…'

'Dat is om de tekening op te luxen, jôh, dat doen die architecten altijd. Je denkt toch zeker niet dat we voor krap vierhonderdvijfentwintig er ook nog 'ns een zitkuiltje en palmen in kunnen zetten. Je moet rekenen dat 't zwembad en al die andere natte handel ook een bak geld kosten.'

'Die voorzieningen zijn toch voor alle bewoners?'

'Dat is waar, maar geld kost 't wel. Onder ons ge-zegd en gezwegen: Van Dak en ik leggen er met dit project geld op toe. We doen 't voor jou, jongen, ik ken je vroegere omstandigheden. Van Dak, leg die jongen 'ns het een en ander uit.'

Wil van Dak kwam met cognac binnen.

5

Zo'n dertig jaar eerder verhuisden we van het grote huis in de duinen naar de kleine woning aan de straatweg.

Ik moest met een jongere broer een kamer delen. De kamer was niet al te klein, zonnig en zag uit op een bos. Beneden hoorden we mijn moeder de eerste weken af en toe jammeren. Ze sprak tegen zichzelf, maar we hoorden het door de planken heen omdat er nog geen geld voor vloerbedekking was: 'Misschien had ik 'm niet uit het huis moeten laten zetten. Hij is en blijft mijn man. Hij heeft mij toch maar al die kinderen geschonken en die zijn me allemaal even dierbaar. Ik weet niet hoe ik het rooi, maar de jongens zullen er niks van merken.'

Mijn broers en ik merkten het wel.

Meyer zei: 'Nou zijn we arm geworden.'

Brit, een andere broer, beweerde: 'Ze kunnen ons in ieder geval niet failliet verklaren, want dat heeft geen zin. We hebben bijna geen spullen meer, die heeft pa allemaal uiteindelijk toch meegekregen.'

Meyer, met wie ik samen in een stapelbed lag, fluisterde op een nacht toen we beiden niet konden slapen: 'Ik vind arm wel spannend, altijd rijk is ook niks.'

'Wanneer gaan we onze kamer een beetje mooi maken?' vroeg ik aan Meyer.

'Morgen? Is dat goed?'

'We hebben zo weinig spullen. Waarom heeft pa onze stoelen en bureautjes meegenomen. Wat moet hij daar nou mee?'

'Ma zegt dat hij misschien weer een nieuw gezin wil beginnen.'

'Heeft-ie dan een ander wijf?'

'Dat weet ik niet.'

'Beginnen we morgen direct als we uit school komen?'

'Ja, natuurlijk en dan maken we het gezellig,' zei ik geeuwend.

Voor de eerste keer richtte ik zelf een kamer in. Beneden verschoof mijn moeder ook de leegte. We hadden bijna geen roerend goed meer; niet eens genoeg stoelen rond de tafel en daarom kocht mijn moeder er twee goedkope, plastic stoelen bij.

Boven vroeg Meyer: 'Hoe had je 't dan gewild? We hebben dit ouwe bureautje, die twee rotanstoeltjes en het stapelbed. We zijn eigenlijk al klaar.'

'Ik kan van sinaasappelkistenhout laatjes timmeren. En van een omgekeerde aardappelkist kunnen we een bijzettafel maken. Leggen we er een kleedje over.'

'Dat is zo armoedig.'

'Als je maar rijk van binnen bent,' zei mijn moeder nauwelijks van harte toen ik beneden kwam zeuren dat het zo leeg was op onze kamer.

'Onze kamer lijkt net een echoput.'

Mijn moeder ging zitten op de nieuwe plastic stoel die kraakte en sprak bespiegelend: 'Die negers in Nieuw-Guinea hebben bijna helemaal niets. Een elektriciteitspijp om hun mannelijkheid, een hutje onder de palmen en dat is het zo'n beetje. Toch schijnen ze blij te zijn. Ze dansen als gekken rond een kampvuur. Heb ik tenminste gelezen. Waarom zullen we klagen! Als je wat aan de muren hangt, klinkt 't niet meer zo hol op jullie kamer. Liggen er geen ouwe kalenders onder de trap? Of pak anders die worteldoek, die dempt volgens mij ook lekker. Niet klagen, Lothar, daar schiet niemand iets mee op.'

∼

De eerste maanden van onze armoede waren we solidair met elkaar. We deden de pindakaas heel dun op onze boterhammen, we plakten onze fietsbanden zelf en we zochten samen in folders naar extra-koopjes en 'prijsknallers'.

Totdat uitgerekend mijn moeder de solidariteit verstoorde: 'Dit gedoe is niets voor mij. Ik heb het niet zo op rekenen en beknibbelen. Weet je, Lothar,' zei ze op een middag nadat ik uit school gekomen was, 'ik ben er gewoon niet aan gewend. Elke cent omdraaien is niets voor mij. Je moet ervoor zorgen, jongen, dat je nooit arm wordt. Je moet geen domme dingen doen en goed met je geld omgaan. Beloof je dat? Het is in je eigen belang.'

Ik beloofde het.

∼

De laatste maanden van Sandors leven werden evenzeer door armoede bepaald. Ik prikte, Mieke dronk, Sandor huilde. Soms – door de verdoving heen – moest ik aan de scheiding van mijn ouders denken en de dingen die misschien nog kwamen. Ik wist eigenlijk zeker dat er verschrikkelijke dingen zouden gebeuren. Ik vermoedde met aan zekerheid grenzende waarschijnlijkheid een lang leven van financieel gedoe en getob. In de therapeutische jaren met Gortzak gingen de gesprekken daar zo nu en dan expliciet over.

Gortzak meende: 'Dat zijn de gemakkelijkste problemen. Die kunnen opgelost worden. Geld is tastbaar, wat er in je kop zit is een stuk lastiger.'

'Het zit juist in mijn kop,' weersprak ik Gortzak korzelig.

'Dat kan niet,' zei hij.

'U weet blijkbaar alles!'

'Over geld valt er niets te weten. Geld is betalen. Je slecht voelen, zit in je kop.'

'Dat denkt u?'

'Dat weet ik zeker.'

'Gôh,' zei ik om van alles af te zijn.

En op de achtergrond analyseerde Gortzak verder: 'Als je problemen in dubbeltjes en kwartjes zou kunnen vertalen, waren wij niet nodig. Natuurlijk: er valt heel wat af te dingen op het kapitalistische systeem en hoe dat mensen gek maakt…'

'Maar Freud heeft er zeker niets over gezegd,' onderbrak ik, weer geheel bij de tijd, de zielsgeneeskundige.

'Het gaat er niet altijd om wat Freud gezegd heeft.

Wat zou Freud bedoeld kúnnen hebben – dat is de vraag waar wij als psychiaters mee bezig zijn.'

'Ik niet.'

'Dat hoef je niet steeds te zeggen. Mag ik je een eerlijke vraag stellen?'

Eindelijk, dacht ik. 'Ja!' riep ik zo enthousiast mogelijk.

'Zie je eigenlijk zelf nog iets in die bezoeken hier?'

'Geen kut.'

'Dat is grof.'

'En daarom houd ik ook op met het beklimmen van de trap naar uw praktijk.'

Weinig maanden later kwam het tot een definitieve breuk tussen Gortzak en mij. Hij onderhield het contact nog even door middel van aanmaningen. Later zou ik over hem schrijven en zodoende kreeg hij gelijk. 'Ook als je later boosaardig over mij schrijft en mij nooit meer bezoekt, ben je toch nog steeds bezig met de therapie en dus is zij geslaagd,' zei Gortzak wel eens.

Het gemak van de psychoanalyse: het kopen van een goede vriend. Eigenlijk niet eens een goede – welbeschouwd.

6

Sandor had geen benul van geld. Zijn moeder en ik zouden, als hij volwassen zou zijn geworden, geen goed voorbeeld geweest zijn. Sandor spaarde Italiaanse muntjes die we hem gaven als we van onze Italiaanse vakanties terugkwamen. Hij kwam mij op een keer uit bed halen en riep: 'Mijn bus zit tot aan de rand toe vol, ga je mee wat kopen? Ik kan nu een heleboel kopen, want ik heb heel veel geld.'

'Wel nee, jongen,' stelde ik hem teleur, 'daar kun je niets van kopen. Je hebt alleen maar lires en die zijn niks waard. Als je tien van die bussen vol hebt, kunnen we misschien net een paar ijsjes kopen.'

'Het is hartstikke zwaar. Ik ga de bus halen, dan kun je zelf voelen.'

Hij rende door de gang naar zijn kamertje.

'Je zal zien dat hij die bus in bed laat vallen. Ik wil nog een uurtje slapen; ik heb geen zin om al die muntjes tussen de lakens uit te gaan frommelen,' zei Mieke met een nog niet geheel uitgeslapen stem.

'Waarom lig je nou direct weer aan het somberste te denken?'

'Je zult het zien.'

❧

'Voel maar,' zei Sandor terwijl hij aan kwam huppe-
len. Hij struikelde over mijn badjas die voor het bed
lag en de bus vloog uit zijn handen.

'Mijn handjes zijn te klein voor die bus,' riep hij
nog.

De bus kwam op mijn hoofd terecht, de lires werden over Miekes gezicht uitgestort.

'En wat heb ik je voorspeld!?'

'Mens, zeur toch niet zo.'

'Hoe heet dat ook weer, dat ik er ander geld voor
krijg, we doen het altijd aan de grens…'

'Ik begrijp je niet, jongen.'

'Wisselen, bedoelt hij,' zei Mieke, die lires uit haar
haar schudde.

'Wat zou je dan willen.'

'Wil je de bus niet omwisselen.'

'Misschien krijg je er maar vijftig cent voor.'

'Is dat veel?' vroeg hij.

'Twee kwartjes,' legde ik hem uit.

'Dat is toch minder? Dat zijn maar twee dingetjes
en nu heb ik een bus vol.'

'Tja, hoe moet ik je dat uitleggen?'

'Geef die jongen toch gewoon een gulden en laat
hem die bus houden,' sprak Mieke besluitvaardig.

Ik stapte uit bed.

'Je piemel is groot,' lachte hij.

'Waar ligt je portemonee?' vroeg ik aan Mieke.

'Beginnen we nou godverdomme 's ochtends

vroeg al over geld te zeuren!' antwoordde Mieke die rechtop ging zitten. Haar borsten hingen slap naar beneden. Wat ben je lelijk, dacht ik.

~

Ik was zelf bijna zes en spaarde voor een atlas. Mijn vader zat met zijn ellebogen op tafel uit het raam te kijken en vroeg: 'Wat moet je als klein ventje met een atlas; waarom wil je weten hoe de wereld in elkaar zit?'

Ik kreeg enkele maanden later een atlas, maar de eerste, echte grote mocht ik pas na de scheiding van mijn ouders kopen. Het was enkele weken voordat ik naar de eerste klas van de middelbare school zou gaan. Mijn moeder zette op een papiertje getalletjes onder elkaar en keek somber.

Ik zei: 'Die van Brit is verouderd en in de reglementen van school staat dat we de laatste druk moeten hebben.'

'Ik zal de rector wel eens bellen of 't echt nodig is.'

'In die van Brit is Indonesië nog van ons.'

'Is dat dan niet meer zo?' vroeg mijn moeder. 'Vooruit,' besloot ze, 'het is een rib uit mijn lijf, maar het moet dan maar.'

Met veertig gulden vertrok ik op de fiets naar een boekhandel in de stad.

Aannemer Sloopink ging failliet.

Projectontwikkelaar Van Dak kwam ik op straat tegen. 'Verschrikkelijk,' zei hij, 'dat uitgerekend jou dat nu moet gebeuren. Ze hebben nog geen steen gemetseld, is het niet? En dat je nu al zo'n grote aanbetaling hebt gedaan aan Sloopink! Dat geld ben je kwijt. Ik zou niet weten hoe je dat appartement afgebouwd krijgt. Veel *cash* zal je wel niet hebben, hè?'

'Klootzak! Je hebt dit helemaal zelf in elkaar gezet, Van Dak!'

'Kun je die atlassencollectie van je niet verkopen? Die zal toch heel wat opbrengen? 't Klinkt zuur, maar je móét afbouwen, want 't is een monument en dan heb je een afbouwplicht,' sprak Van Dak die heel geïnteresseerd naar een meisje keek dat voorbijfietste.

'Ik zeg dat jij 't allemaal in elkaar gezet hebt, lul!'

'Als ik je helpen kan: een belletje is voldoende,' reageerde hij nog even onaangedaan. Hij maakte aanstalten om weg te lopen, maar ik trok hem aan zijn schoudervulling naar mij toe. 'Ik kan je wel doodstampen, galbak, je moet verschrikkelijk oppassen dat ik je niet…'

'Geweld?' merkte hij droog op. Hij sloeg denkbeeldig stof van zijn schouders. 'Ik heb 't toch bij het verkeerde eind als ik denk dat ik de politie erbij moet halen?'

'Gore kankerstraal.'

'Soms zit het in het leven mee, soms niet,' zei hij en wandelde weg.

7

Een week nadat mijn vader het huis verlaten had, pakte mijn moeder de familiealbums uit de kast. Ze dronk koffie en bladerde langzaam door de bruine albums. Sommige foto's zaten nog maar met één fotohoekje vast. Het doorzichtige papier met spinnewebmotief was op veel plaatsen gescheurd. Ik vroeg of ik een glas melk mocht. Mijn moeder knikte. Terwijl ik aan het glas nipte, ging ik naast mijn moeder zitten.

'Waarom zijn er toch zo weinig foto's van toen u kind was?'

'In Italië was fotograferen niet gebruikelijk en ook erg duur. Alleen als er feesten waren, kwam er een fotograaf uit de grote stad. Bij ons thuis waren heel weinig feesten, vandaar.'

'Waarom was er nooit feest?'

'Omdat er niets te vieren viel,' zei mijn moeder kortaf.

'Dat is een trouwfoto, hè?' vroeg ik naar de bekende weg.

Het was een foto waarop mijn kleine, donkere vader en mijn moeder in een enorme hoeveelheid tule stonden.

Mijn moeder wees naar een kleine jongen en een nog kleiner meisje: 'Die hebben de oorlog niet overleefd.'

'Pa en u zijn er nog wel,' sprak ik opbeurend.

'Je vader zal er niet lang meer zijn; neem dat maar van mij aan.'

'Waarom niet?'

Mijn moeder haalde haar schouders op. Ze tuurde naar de foto en vervolgde: 'Neem nog maar een koekje en ga dan spelen. Of maak die puzzel af…'

'Ik wil meekijken,' zei ik en schoof mijn stoel dichter naar haar toe.

'Je hebt niets aan al dat verleden. Is dat figuurzaagwerkje al af?'

'Daar heb ik geen zin meer in; de zaagjes breken steeds.'

'Dan moet je niet zo hard drukken. Wat dat betreft lijk je net op je vader. Altijd dat verbetene, je moet rustig zagen met kleine haaltjes.'

'Naar foto's kijken vind ik leuker.'

'We gaan helemaal niet meer naar foto's kijken,' zei ze en sloeg met haar hand op de trouwfoto.

'We mogen nooit wat zien, u vertelt nooit wat en u zei dat het allemaal beter zou worden als pa de deur uit was.'

'Misschien wordt het wel nooit meer beter. Of misschien wel, maar eerst moeten we orde op zaken stellen in de albums.'

Mijn moeder haalde de trouwfoto uit de foto-hoekjes en begon haar in kleine stukjes te scheuren. Ik zag hoe mijn vaders gezicht in tweeën brak.

'Maak die fruitschaal even leeg, dan doen we daar de snippers in.'

'Waarom doet u dat?'

'Wat hij met mijn leven heeft gedaan, doe ik nu met hem.'

Er rolde een sinaasappel over tafel. Hij viel op de grond. Mijn moeder kon nog net een appel tegen-houden. 'Vierkante sinaasappels bestaan niet, Lot-har. Doe toch eens rustig. Waarom kun je die fruit-schaal niet leegmaken zonder ongelukken?'

'Waarom moet pa doormidden? Hij blijft toch mijn vader! Hoe kan ik later iemand laten zien hoe hij eruitzag?'

'Wel ja! Hebben we opeens belangstelling voor de man die het leven van ons allemaal kapot heeft ge-maakt? Wil jij later die valse tronie aan je kinderen laten zien? Mooi is dat!'

'U heeft zelf gezegd dat 't hoofdzakelijk allemaal kwam omdat hij ziek in zijn hoofd is.'

'Ziek, ziek, ja, toe maar! Hij is zeker ziek en ik weet heus wel waarom en waardoor, maar moest ik daar-om jullie en mezelf ook gek laten maken? Weet je,

Lothar: als je het hier niet bevalt, moet je je fiets pakken en naar hem toe fietsen.'

'Bij Varkensveld zijn ze ook gescheiden. Kobus mag iedere week naar zijn vader toe en dan…'

'Dan krijgt hij zeker dure cadeaus en speelt die Varkensveld opeens zeker mooi weer. Lothartje, als je naar je vader wilt, ga je gang, maar hier kom je er niet meer in.'

Ze sloeg een ivoorkartonnen bladzijde om, trok een foto van een kinderwagen, twee jongens in korte broek, een vensterbank met begonia's en met op de achtergrond mijn vader van de pagina en scheurde haar in steeds kleinere stukjes. Het gezicht van mijn vader verpulverde. De rafelige snippers deed ze bij de andere in de fruitschaal.

'De schoft sloeg me nog een gat in het been, terwijl twee peuters aan mijn rok hingen en er nog eentje in aankomst was. Ik geloof dat jij erbij was.' Ze kreeg tranen in haar ogen. Van de volgende pagina nam ze twee foto's weg. Een foto van het strand waarop geen mensen stonden die ik kende, liet ze zitten.

'Straks weet niemand meer hoe hij eruit heeft gezien, ma.'

'Dat heb je al gezegd. En dat is eigenlijk beter. Hou je waffel verder maar.'

'Mag ik nog een koekje?'

'Prop jezelf maar vol,' zei ze en pakte een ander album, liet de bladzijden snel door haar vingers gaan en vroeg, nadat ze lang naar buiten had gestaard: 'Maak de kachel 'ns open.'

Ik liep verbouwereerd naar het haardstel, pakte het kleinste pookje en opende de zwarte klep.

'Als het er maar door past,' zei ze aarzelend.

Ze keek naar het album, knikte het op haar knieën doormidden en wrong het door de opening.

'Gauw dicht, brandende foto's kunnen ontzettend stinken. Allemaal chemicaliën.'

De vlammen kringelden eerst voorzichtig om de kaft heen. Ik kon nog net, voordat het vuur het bereikt had, lezen: *Jugend in D. 1916-1937* – krullerige letters met inkt geschreven. Het karton kromde in de hitte. Het woord 'Jugend' was als eerste weg.

'Doe nou dicht, straks zitten we in de stank.'

'Ik begrijp het niet.'

Ze kwam naast mij staan en streek mij door de haren.

'Wanneer gaat-ie dan dood?'

'Pa? Dat weet ik niet, maar nu is het bedtijd. Hupsakee, naar dromenland.'

Ze duwde mij de gang in. Het was donker op de trap.

'Niet vergeten je tanden te poetsen,' riep ze mij na.

8

Sedert die avond waren er geen foto's van mijn vader meer. Heel af en toe keken mijn broers en ik nog in de gehavende albums.

Een paar jaar later, een zondagmiddag. Ik zei: 'Er was nog een album. Dat heeft ma helemaal verbrand.'

Meyer zei: 'Er zijn meer lege plekken dan foto's.'

We zaten in de tuin. Het was zomer. Mijn moeder stond te strijken in de kamer. De tuindeuren stonden open. We hoorden het sissen van de perslap en hoe ze zachtjes een liedje zong. We konden niet verstaan wat ze zong, maar we voelden op de een of andere manier dat het geen vrolijk liedje was. Pas veel later zou ik de meeste liedjes van mijn moeder terughoren op Italiaanse operaplaten.

'Weet jij eigenlijk hoe pa er precies uitzag?' vroeg Meyer. Hij gooide een steentje naar de kat.

'Zit niet over dat verleden te konkelfoezen en hou op met die kat te pesten,' riep mijn moeder uit de kamer.

'Dat mens heeft poezeoren,' zei Meyer.

'Ik ben zijn gezicht al bijna helemaal vergeten,' antwoordde ik.

'Misschien is hij wel grijs geworden,' meende Meyer.

'Hou erover op, zei ik!' Kwaad hing mijn moeder

de perslap te drogen aan de waslijn.

'Is hier soms censuur?' vroeg ik.

'Gebruik geen woorden die je niet begrijpt. Je doet er beter aan met je huiswerk te beginnen.' Mijn moeder kwam van woede met een naaldhak tussen twee terrastegels vast te zitten. 'Die verdomde rottegels kosten mij kapitalen,' zei ze.

'We hebben geen huiswerk in de vakantie.'

'Dan begin je maar vast aan dat van volgend jaar.'

'Ik ga fietsen,' zei ik en liep naar de schuur.

~

Ik fietste door het landschap dat voor mijn jeugd bepalend zou zijn. Eigenlijk wás dit landschap mijn jeugd zélf. Waarom wist ik niet precies, maar ik verlangde naar mijn vader. Echt aardig of lief was hij nooit geweest. Ik miste zijn raadselachtigheid, zijn spannende plannen en de fietstochten. Ik bleef over de duinpaden fietsen totdat het donker was.

'Hadden we geen horloge bij ons?' vroeg mijn moeder snibbig toen ik thuiskwam.

Ik liep direct naar mijn kamer. Meyer lag zich te vervelen op zijn bed.

'Zullen we pa gaan zoeken?' stelde ik voor.

'Nu?'

'Waarom niet.'

'Hij woont toch niet meer in Nederland? Hij zit

toch ergens met een ander wijf?'

'Zegt ma. Maar wat zou 't? Wil jij hem nooit meer zien?'

'Het was toch een klootzak, jôh. Hij sloeg ons alleen maar bont en blauw. We mogen hem niet eens bezoeken. Hij is uit de kinderbescherming gezet.'

'De kinderbescherming heeft hem uit de ouderlijke macht ontzet,' corrigeerde ik Meyer wijsneuzerig.

'Is dat dan niet hetzelfde?'

Ik ging op mijn eigen bed liggen. Het werd een heldere zomernacht. Lyrisch floot er een nachtegaal. Langzaam ontwikkelde zich in mijn hoofd een portretfoto van mijn vader. Hij keek vriendelijk. Totdat ik mijn moeder beneden de tuindeuren hoorde sluiten. Toen begon mijn vader bozer te kijken. Even later deed mijn moeder de slaapkamerdeur zachtjes open.

'Slapen jullie al?'

We antwoordden beiden niet.

Mijn vaders gezicht was plotseling verdwenen.

'Lig je te piekeren?' vroeg Meyer.

'Nee hoor.'

Ik probeerde de foto terug te halen.

~

De enige herinnering aan mijn vader van enig formaat bleef zijn eiken bureau. Het zou na zijn vertrek in huis blijven staan (op de vraag waarom mijn vader het bij de boedelscheiding niet had meegenomen, had mijn moeder geen antwoord). Toen ik op mezelf ging wonen, mocht ik het van mijn moeder meenemen, maar na verloop van tijd leende ik het uit aan een vriend wiens interieur semi-antiek was ingericht. In mijn eigen interieur misstond het enigszins. Daarnaast probeerde ik in die tijd mijn vader uit mijn gedachten te bannen.

Toen mijn vader aan zijn einde was gekomen, wilde ik het bureau terug. Het was echter inmiddels in Brabant terechtgekomen. Ik liet het verkassen van het meubelstuk daarom op zijn beloop en zodoende ging het niet mee in het faillissement. Nadat dit opgeheven was en mijn nieuwe grachtenappartement na de talrijke verwikkelingen, oplichtingen en bedrieglijke bankbreuk toch enigszins leefbaar was opgeleverd, bracht mijn vriend het op verzoek terug. Hij was huisarts en sprak met weinig spijt in zijn stem: 'Ik heb het jarenlang als bureau in mijn praktijk gebruikt. Aan dit meubeltje is wat ellende verteld! Maar het werd toch te klein en te weinig representatief. Met veel plezier geef ik het je terug.'

Mijn vriend de dokter stond met een gehuurd vrachtwagentje voor de deur. We sjouwden het meubel naar binnen, mijn vriend gaf er een klap op en zei: 'En nu heb ik zin in een biertje. Je moet het wel een beetje in de was zetten.'

~

Ik besloot het bureau helemaal uit elkaar te halen, alle houtwormgaatjes dicht te maken en het opnieuw te politoeren. Het had nogal veel laatjes en deurtjes. Het viel bij de demontage als een moeilijke puzzel uit elkaar. Toen ik een van de middenladen uit zijn glijconstructie nam, dwarrelde er een papiertje uit. Het voelde glad aan. Ik draaide het om en keek naar een grijze, ten dele vergeelde foto.

Midden in een bos stond een vierkant tafeltje waarop een kleedje lag. Aan weerszijden stonden twee stoelen van gevlochten riet. Bij de ene stoel was dat duidelijk te zien. Op de andere stoel zat een elegante man die op dandyachtige wijze een sigaret leek te roken. Hij droeg een strak zittend, driedelig kostuum. Ik draaide de foto weer om en ontwaardde enkele tekentjes in vaag potloodschrift. Ik liep naar het raam en las in het volle licht: 'D. – 1935 –.'

9

Het drong langzaam tot mij door: ik keek naar mijn vader. Opnieuw draaide ik de foto om. Nu keek mijn vader *mij* aan.

Ik staakte mijn restauratiepoging, liep naar de keuken en trok een fles wijn open. Hoewel ik overdag nooit dronk, zat ik binnen een kwartier aan mijn derde glas.

De geschiedenis van de enig bewaarde foto van mijn vader viel gemakkelijk te reconstrueren. De fotoalbums hadden tijdens het huwelijk van mijn ouders altijd in het bureau gelegen. Toen mijn moeder de fotocollectie zuiverde, moest de vijf bij acht centimeter kleine foto uit een van de albums zijn gevallen en tussen de laden en planken zijn blijven steken. Zonder enige twijfel stamde de foto uit het album waarop 'Jugend in D. 1916-1937' was geschreven.

Decennia na de door mijn moeder gepleegde *Photosverbrennung* zat ik op de Keizersgracht naar mijn vader, dertien jaar voor mijn geboorte, te kijken. Dagenlang staarde ik naar de foto, soms wel drie uur lang.

Het gezicht van mijn vader was niet groter dan drie bij zes millimeter. Ik kocht bij een opticien een loep om zijn gelaat beter te kunnen bestuderen. Later kocht ik een vergrootglas met een ingebouwd lampje, liet het fotootje uitvergroten en bestudeerde het zelfs met een bij een kennis geleende macromicroscoop. Al die pogingen tot uitvergroting leverden echter weinig op. Mijn vader ging uit steeds grotere korrels, puntjes zwart en wit bestaan. Totdat ik bij een vriendin een handwerkloep aantrof die ik een paar dagen gebruiken mocht.

Aan de sierlijk opgehouden rechterhand van mijn vader ontdekte ik niet alleen duidelijk een sigaret, maar ook een ring aan de vinger waaraan hij tijdens mijn jeugd een trouwring had gedragen.

In 1935 waren mijn ouders nog niet getrouwd, ze kenden elkaar niet eens. Mijn vader woonde toen in D. of studeerde honderd kilometer verderop in J.; mijn moeder hoepelde en tolde in een Noorditaliaans dorp. Ze zouden elkaar pas twee jaar later, door toeval, in Nederland leren kennen.

Was de ring misschien een zegelring? Ik liet detailvergrotingen maken van mijn vaders rechterhand en moest – ook op gezag van andere speurders – tot de gevolgtrekking komen dat het in ieder geval geen zegelring was en het meest leek op een gladde trouw- of verlovingsring.

Zou mijn vader voor het huwelijk met mijn moeder met een ander meisje – daar in dat verre D. – verloofd of misschien wel gehuwd zijn geweest? Tijdens een bezoek aan mijn oudste broer in Ierland vertelde ik hem van de foto en de ring. Het leek hem niet te interesseren: 'Wat zou 't? Misschien heeft hij wel eerder iets gehad, ik hoef je niet te vertellen dat hij na het huwelijk met ma ook niet stil is blijven zitten…'

'Kan het jou echt niets schelen?'

'Geen pest,' meende mijn broer.

~

Ik belde mijn moeder op. 'Herinnert u zich een foto van pa uit 1935 waarop hij aan een tafeltje midden in een soort bos zit?'

'Doe mij een plezier en begin niet weer over die man. Het is allemaal al verdrietig genoeg geweest,' snauwde ze door de hoorn.

'Sorry. Maar kén je die foto?'

'Doodziek word ik van dat sentimentele gedoe van jou.' Ze smeet de hoorn op de haak. Mijn vader bleef in de kiestoon steken.

~

Het verkleinde landschap waarin mijn vader zat bleef een onbekende plek. Geschiedenisboeken wisten mij te vertellen dat alles, maar dan ook alles, in en om D. tijdens de oorlog werd platgebrand, murw gebombardeerd en leeggeroofd. Als de bomen het overleefd zouden hebben, zouden ze naderhand wellicht van ouderdom gestorven zijn. Het paadje dat op de achtergrond zichtbaar was moest in ieder geval naderhand omgewoeld zijn. Ik was er na het telefoongesprek met mijn moeder van overtuigd dat ik nooit te weten zou komen waar mijn vader precies gewoond had en wat hij dacht toen hij in 1935 in een cameralens blikte.

Werd mijn vader door zijn toenmalige vrouw of verloofde gekiekt? De zon moet fel geschenen hebben want de lege stoel gaf een zware schaduw. Wie ging er, na het maken van die foto, op die lege stoel zitten?

～

Tien jaar voor het vinden van de foto pleegde Rainer Gottlieb Mantoua zelfmoord. Toen mijn broers en ik voor een immens eiken bureau bij de notaris zaten (en ik dacht: eigenlijk is pa's bureautje een zielig gevalletje) had een van de raadsels rond mijn vader zich eigenlijk al geopenbaard. Nadat de notaris drie zinnen gezegd had, wist ik waarover een van mijn vaders raadsels ging. Over geld, over ontzaglijk veel geld.

10

Het waren krankzinnige bedragen die de notaris voorlas. Tonnen passeerden de revue, en niet zo maar tonnen maar bedragen als 'honderdeenendertigduizend gulden en zesenzestig cent'.

'Uw moeder is blijkbaar niet meegekomen?' vroeg de notaris toen hij een groot bedrag had genoemd dat mijn vader vermaakt had aan een liefdadige instelling.

'Nee, waarom zou ze? Mijn ouders zijn al vijftien jaar gescheiden.'

'Toch heb ik haar uitgenodigd.'

'Geestig,' zei Meyer.

'Dat is maar hoe u het bekijkt.' De notaris las een bedrag op. Mijn moeder erfde meer geld dan ze in heel haar leven te besteden had gehad.

'Allemachtig!' riep Brit uit.

'Is dit allemaal wel echt? Heeft u wel een notaris-diploma?' vroeg Meyer.

De notaris keek verstoord en Meyer keek even later nog verstoorder. Ik raakte in een soort verdoving.

De zonen van Rainer Gottlieb Mantoua erfden ieder meer dan een miljoen gulden.

∽

Op straat rookten Meyer en ik een sigaret. Meyer zei: 'Ze waren niet arm toen ze nog getrouwd waren, maar dat hij zoveel geld had! En dan die rare zinnen over de spijt die hij had, dat hij het uiteindelijk niet meer met ons kon goedmaken, maar dat hij hoopte dat we met het geërfde geld...'

'We hoeven ons hele leven niets meer te doen.'

'Dat voelt lekker,' zei Meyer.

'Waar zou hij in godsnaam al dat geld vandaan ge-sleept hebben? Die man deed nooit wat, ik herinner mij hem alleen maar als een gekke bekken trekkende zombie met een dik boek in een stoel naast de kachel.'

'Heeft hij eigenlijk ooit gewerkt?'

'Niet dat ik weet. Volgens mij kreeg hij een behoorlijke uitkering vanwege de oorlog. Waarom precies zou ik niet weten, want andere mensen die het moeilijk in de oorlog hebben gehad, moesten gewoon werken. Mevrouw en meneer Vleeshouwer verdienen hun geld met die knopenwinkel en die krijgen er volgens mij niets bij; die hebben het helemaal niet breed.'

'Zou pa een held zijn geweest?'

~

'Voor de goede orde vertel ik u erbij dat u de erfenis kunt weigeren. Dit zeg ik pro forma, want wijlen uw vader heeft geen dubbeltje schuld achtergelaten. Van de door u geërfde bedragen gaan alleen de successierechten af,' had de notaris gezegd.

'Mag ik daarover nadenken?' had ik gevraagd.

'Nadenken! Nadenken! Graaien zou ik zeggen, zakken vullen,' had Meyer bijna buiten zinnen geroepen.

Op een zondagmiddag toen het weer even mooi was als in de jaren vijftig – en mijn vader altoos somber in de kamer zat – schreef ik de notaris een brief.

'Geachte heer,

Hierbij deel ik u mede dat ik afzie van het erfdeel dat mijn vader mij heeft nagelaten. Kunt u mij meedelen wat voor belastingtechnische consequenties het voor mij heeft wanneer ik mijn erfdeel doe toekomen aan enkele liefdadige instellingen? Vriendelijke groet. Lothar G. Mantoua.'

~

Ik heb het nooit anders gevoeld: nadat mijn vader door de echtscheidingsrechter gedwongen was het huis te verlaten, daalde er een onafwendbare, diepe somberheid in mij neer. Samen met mijn vader maakte ik deel uit van een soort geheim genootschap. Niet dat het werkelijk bestond, maar het voelde zo. Tussen mijn vader en mij was er ogenschijnlijk weinig (mijn moeder: 'Je maakt van die man gewoon iets bijzonders, maar het was een gevaarlijke gek, geloof mij nou') wezenlijks, maar ik voelde meer. Mijn vader moet dat tot het laatste toe – toen we elkaar al lang uit het oog verloren waren – ook hebben gevoeld: mijn erfdeel was precies één gulden hoger dan dat van mijn broers.

11

Mijn moeder zat aan tafel.

'En hoe is het met de rijke weduwe?' vroeg ik.

Ze reageerde niet.

'Ik vroeg: en hoe is het met de rijke weduwe?'

'Ik ben geen weduwe. Je vader en ik waren al lang niet meer getrouwd, dat weet je best.'

''t Is niet waar!'

'Hè jongen, hou toch op. Zal ik thee zetten?'

Mijn moeder vulde de ketel met water terwijl ik naast haar aan het aanrecht stond.

'Ik weet wel wat je wilt vragen. Ik weet het niet, ik wil het niet weten en ik heb geen zin om in dat verleden te duiken.'

'Ik wilde je inderdaad vragen over die krankzinnige bedragen.'

'Ik wéét het niet en ik wíl het niet weten.'

'Je weet het wel.'

'Ik hoorde van de notaris dat jij je erfdeel weg gaat geven.'

'Mooi is dat! Heeft die man geen ambtsgeheim?'

'Wat doet dat er nou toe.'

'Ja. Ik geef alles weg.'

'Ziezo,' zei mijn moeder – ze droeg twee kopjes de kamer binnen –, 'je wilt dus de held spelen, de geslagene, degene die verder wil lijden, die zich van heerlijke armoede gaat zitten verkneukelen.'

'Je begrijpt het niet.'

'Vind je het gek dat ik dit niet snap? Wist je dat de buurman van twee huizen verder kanker heeft?'

Met mijn moeder was ik voorgoed over mijn vader uitgepraat.

~

Na zijn dood kwam ik twee keer per week mijn vader tegen. Elke kleine, donkere man leek op hem. Soms moest ik vergaderen met een aantal heren en dan zat er één tussen die sprekend op hem leek. Ik kon in die gevallen met geen mogelijkheid het gesprek voortzetten. Ik wendde voor dat ik plotseling last kreeg van ontzettende maagkramp. Toen ik het Gortzak vertelde, zei hij bedachtzaam: 'Ja ja,' en mompelde iets van 'identificatie, komt meer voor; vaker dan de meeste mensen denken'.

Met Meyer bezocht ik eens de joodse wijk in een Amerikaanse stad. De eerste dag al raakte ik herhaaldelijk in paniek. 'Het lijkt wel of ze onze pa hier namaken!'

'Hoe bedoel je?'

'Zie je niet dat hij hier overal rondloopt? De gelijkenis is toch sprekend.'

Meyer keek om zich heen en zei: 'Ik ben natuurlijk jonger dan jij en ik heb hem niet zo goed gekend, maar ik vind dat die mannen hier helemaal niet op pa lijken. Ja: ze hebben zwart haar en donkere ogen, maar verder houdt de gelijkenis dan ongeveer wel op, dacht ik zo.'

'Je kijkt niet, kloothommel!'

'Je bent een beetje niet goed in je kop.'

's Avonds zat ik met Meyer aan een klein tafeltje bier te drinken. 'Weet je,' zei hij, 'wat ik niet zo goed begrijp: hoe dat met jou en pa in elkaar zit. Je zit nu al jaren te pulken in je kop; waar is dat goed voor? Goed: we hadden een rare pa, die onverwacht veel geld naliet, dat jij zo nodig weg moest geven en ik binnen een paar jaar over de balk heb gesmeten, maar wat was er nou verder voor bijzonders aan die man?'

'Heb jij behalve onze broers en ma ooit wel eens iemand over pa horen praten? Die man is zestig geworden, is het niet?'

'Zo ongeveer ja…'

'Het is toch eigenaardig dat er niemand iets over hem weet te vertellen. Honderden mensen moeten hem gekend hebben en als ik al eens met iemand over hem wil praten, krijg ik te horen: *"Ach ja, die Rainer Mantoua…"* En dan volgt er een stilte. Het lijkt wel of pa fout geweest is in de oorlog of iets van die strekking.'

'Wat ik ervan begrepen heb, was zijn probleem juist dat hij te goed was in de oorlog.'

'Hoe bedoel je?'

'Ik denk dat ik tien was toen ik voor ma een bloemkool bij de groenteboer moest halen. Bij Pieter Prins…'

'In de Kortestraat,' vulde ik mijn broer aan.

Hij knikte en vervolgde: 'Ik kwam binnen en toen stond er een klant die zei: "Ha, daar hebben we het zoontje van de held." Ik begreep er niks van en heb erover lopen denken toen ik met de bloemkool naar huis liep. Ik begrijp het nog steeds niet, maar ik heb niet de neiging, zoals jij die hebt, om daar jaren over te gaan tobben. 't Is dat we het nu over pa hebben, anders zou ik het mij niet eens meer herinnerd hebben.'

'Wie was die klant?'

'Weet ik veel. Gewoon een klant, misschien had hij wel een hoed op zijn hoofd.'

'Een hoed? Wat voor een hoed?'

'Ik maak een grapje, Lothar. Grapje! Lothar!'

'Die klant zei: held? Precies dat woord?'

'Ja: *held*. HELD. Two Budweiser,' schreeuwde Meyer door het lege café.

Het was een slecht moment in mijn leven dat ik in een down-town bar in Chicago bedacht dat 'held' en 'geld' op elkaar rijmden.

'En gaan we nu eindelijk over leukere dingen praten?' vroeg mijn broer die het glas aan zijn mond zette.

Uit een jukebox klonk *I call your name* van The Mama's & The Papa's.

'Alsof ze hier Nederlands kunnen verstaan,' lachte mijn broer.

12

Mary Mantoua keek mij aan. 'I don't speak Dutch,' zei ze.

Ik keek om mij heen, stond in een kleine woonkamer die volgestouwd was met stoelen. Alle stoelen waren met oranje stof bekleed. Aan de muren hingen foto's van het soort landschap dat ook door de ramen heen zichtbaar was.

Mary ging zitten en concludeerde, na de bandjes van haar beha herschikt te hebben, dat zij mijn nicht was en ik haar neef.

'I think so.'

~

Abraham Mantoua trouwde in D. met Ketura. Het echtpaar kreeg zes kinderen: Zimran, Joksan, Medan, Midian, Jisbak en Suah. Joksan huwde met Scheba en uit die echtvereniging ontsproot Efer Mantoua, de vader van Mary. Midian trouwde een ander en uit dat huwelijk was mijn vader afkomstig. In 1937 emigreerde de vader van Mary naar Nieuw-Zeeland; mijn eigen vader, Rainer Gottlieb Mantoua,

177

vertrok in hetzelfde jaar naar Nederland. Mary's vader huwde in Christchurch met een meisje dat uit Polen afkomstig was. Mijn vader ontmoette in 1937 op een internationaal jeugdfestival te Vogelenzang een Italiaans meisje dat hij tot zijn vrouw zou nemen.

~

Mary werd in 1940 geboren, acht jaar voordat ik ter wereld kwam. Efer Mantoua's huwelijk duurde maar kort. Eind 1942 sneuvelde hij in de Stille Oceaan bij de slag om Guadalcanal. Zijn weduwe voedde Mary als enig kind op. Het meisje werd dierenarts, trouwde, scheidde.

'Mijn vader was een held,' zei ze.

'De mijne geloof ik ook,' antwoordde ik en staarde uit het raam.

Er is geen zo treurig land denkbaar als Nieuw-Zeeland. Ik was er voor een reclamecongres, maar verlengde mijn verblijf om mijn nicht te bezoeken. Ze had mij een jaar eerder geschreven:

'Ik denk dat u mijn neef bent. Ik zoek altijd naar mijn, toch niet zo vaak voorkomende, achternaam. Onlangs was ik in de bibliotheek van Auckland en daar vond ik uw naam in een kaartenbak. U heeft een boek over de geschiedenis van de reclame op affiches geschreven; dat is toch zo? Mijn moeder heeft mij vaak over *onze* – als ik dat zo zeggen mag – familie verteld en zodoende weet ik zeker dat u en ik familie zijn. Ik kende uw adres niet en daarom heb ik gewoon naar een groot ogend reclamebureau, dat ik in een handboek vond, geschreven. Ik hoop dat deze brief aankomt. *Welkom neefje!*'

Mary Mantoua had zich niet vergist; ik keek mijn nichtje aan. Ze vertoonde alle kenmerken van de lelijkheid, ze moest wel een slechte adem hebben of eksterogen, ze wilde ongetwijfeld bij het neuken onder liggen en zou zonder enige twijfel slechte boeken lezen en reclame haten.

Ze zei: 'Je schrijft af en toe, hè? Ik lees uit principe niets over reclame, reclame is volksverlakkerij en bedrog. Wat ik graag lees zijn de boeken van Leslie Charteris, ken je die?'

~

Ik begon Nieuw-Zeeland te haten, maar zou het nadien nog twee keer bezoeken. Op zoek naar mijn vader.

Op een middag dat het regende in Christchurch ging ik met mijn nicht naar bed. Ze schreeuwde tijdens het klaarkomen: 'You, you bloody fucking hero!'

13

De derde keer dat ik mijn nicht in Nieuw-Zeeland bezocht, verschilde in niets van de twee eerdere bezoeken. We neukten, ze liet mij voor de zoveelste keer die kleinschalige landkaart van Guadalcanal zien.

'Hier precies moet hij zijn neergeschoten, waar ik dat kruisje heb gezet. Dat heeft een van mijn vaders kameraden mij verteld. Die heeft de oorlog overleefd. Behangen met medailles, je kent het wel. Zijn lijk hebben ze nooit gevonden. Nou ja, na de oorlog hebben ze een heleboel botten bij elkaar geveegd en die in een massagraf gestopt, maar…'

'Ben je er ooit geweest?'

'Nee,' zei Mary.

'Weet je hoe het met de rest van onze familie is?'

'Jouw vader en de mijne zijn weggegaan uit de *Korridor*. Ze zagen beiden in toen de NSDAP daar in 1933 aan de macht kwam dat het niet lang meer goed kon gaan. De andere familieleden dachten dat 't wel mee zou vallen, zelfs toen het gebied in 1939 formeel door Hitler geannexeerd werd. Jij, je broers en ik zijn de enige overlevenden van een geslacht dat verder helemaal uitgeroeid is. Opa's, oma's, tantes, neven, allemaal.'

'Ik begrijp niet hoe je dat allemaal weet . Heb je hier soms tien uur Europese geschiedenisles per week op school?'

'Ben je gek. Je vader schreef mij veel. Honderden brieven heb ik van hem gekregen.'

Ik keek Mary zwijgend en ongelovig aan.

'Hij begon mij te schrijven toen ik zo'n zeventien jaar oud was. Hij schreef toen dat jullie nog te jong waren om met hem te praten en dat jullie moeder geen zin in die verhalen had. Toen jullie net oud genoeg waren voor die verhalen, moest hij het huis uit. Dat schreef hij tenminste.'

'Toen zijn mijn ouders gescheiden, ik zal toen twaalf zijn geweest. Maar ik begrijp iets niet: je hebt met mijn vader gecorrespondeerd over mijn moeder, mijn broers en mij? Honderden brieven?'

'Hij schreef veel over jou. Volgens mij was je zijn lieveling. Je hebt hem na de scheiding toch nog een keertje bezocht?'

'Ook dat weet je! Klopt, hij was een kleine tien jaar het huis uit toen ik hem opzocht. Het bezoek had geen zin. Ik zat met een vreemde man te praten die ik eigenlijk niet eens kende. Het enige dat hij zei in de paar uur dat ik bij hem geweest ben, was: *"Lothar, als je geld nodig hebt, moet je het zeggen."* Maar ik was niet op geld uit, ik was op zoek naar mijn vader, maar dat bleek een voor mij vreemde, grijs geworden man te zijn.'

'Vlak na jouw bezoek kreeg ik een brief van hem. Hij schreef dat je beloofd had om hem nog eens te bezoeken. Dat heb je nooit gedaan.'

Ik bestudeerde de schapen die achter de ramen graasden. Mary klonk verwijtend. Dertien jaar na de dood van mijn vader kreeg ik aan het andere einde van de wereld op mijn donder.

'Het had geen zin,' zei ik.

'Je weet wel beter,' zei mijn nichtje. 'Wil je bier?'

'Ik wil geen bier. Ik wil naar buiten.'

'Zullen we een stukje gaan wandelen? In de heuvels zijn mooie paden.'

~

We reden een stuk naar buiten en liepen van Yaldhurst naar Harewood. En terug. Het landschap vertoonde zich in al zijn gruwelijke groenheid. ''t Is hier mooi, hè,' zei Mary steeds.

Ik knikte maar wat. Mary vertelde.

'Mijn moeder kreeg geen groot oorlogspensioen. Als je vader mijn studie niet betaald had, werkte ik nou waarschijnlijk als schapenscheerster of melkmeisje.'

'Je studie betaald!? De lul! Ik kreeg geen cent en voor een meid in Nieuw-Zeeland betaalde hij wel!'

'En niet zo'n beetje ook. De keren dat hij naar Nieuw-Zeeland kwam, was hij ook niet zuinig.'

'Is hij hier op bezoek geweest?'

'Vijf, zes keer, denk ik. Jullie zullen hem in Holland dan toch wel gemist hebben?'

'Hij ging af en toe een paar maanden weg. Mijn moeder zei dan dat hij depressief was, de ruimte nodig had en was gaan wandelen in de bergen. Noorwegen, Ierland – dat dachten wij tenminste.'

'Volgens mij is hij niet in die landen geweest. Hij heeft mij er nooit over geschreven of van verteld. De keren dat hij hier was, liep hij wat rond in de stad, las boeken in de tuin of lag met mijn moeder in bed.'

'Met je moeder in bed?'

'Jouw vader had een verhouding met mijn moeder. Om dichter bij mijn vader te zijn. Raar, hè? Maar zo zei hij het precies: als ik met je moeder vrij, voel ik je vader, Mary.'

'Wat had hij in godsnaam met je vader te maken? Een broer die hij voor het laatst ergens in de jaren dertig heeft gezien…'

'Ik begrijp het ook niet helemaal,' zei Mary. 'Het was een zachte man. Eerlijk gezegd: ik heb ook wel eens met hem in bed gelegen. Toen fluisterde hij: nu ben ik het dichtst bij je vader.'

'Neuken met zijn schoonzus, neuken met jou… Had je nog meer? 't Is toch allemaal niet te geloven! Terwijl ik mij de pokken werkte om mijn studie te betalen, strooide hij met geld in Nieuw-Zeeland rond en ragde jullie af.'

'Ik begrijp je niet,' zei Mary.

'Ik begrijp er helemáál niks meer van.'

'Van dat naar bed gaan met je familie moet je toch iets begrijpen, nietwaar?'

~

In de bedompte kamer van Mary kwam 's avonds een grote doos op tafel.

Mary zei: 'Je mag al zijn brieven lezen, maar ik wil morgen geen commentaar horen. Geen gescheld of getier. En je moet ze allemaal weer netjes in de goede enveloppe stoppen. Soms schreef hij geen datum boven zijn brieven, maar aan de stempel kan ik die ongeveer bepalen. Ik ga naar bed. Er staat bier in de ijskast.'

Sommige brieven las ik maar voor de helft. Andere keek ik slechts vluchtig door. De oudste brieven waren van Mary's moeder, daarna waren er brieven die aan Mary en haar moeder samen gericht waren. Na de dood van Mary's moeder werden de brieven aan Mary langer en intiemer. Ik las verhalen en namen van familieleden over wie ik nog nooit gehoord had. Ik las hoe blij mijn vader met mij was op de dag dat ik geboren werd. Ik las hoe trots hij was dat ik samen met hem vlinders ging vangen in de zomer van 1955. Ik las hoe hij mij miste. Maar ik las vooral duizenden regels over een oorlog waarvan ik het bestaan nooit eerder geweten had. Mijn vader schreef in het najaar van 1945 aan zijn schoonzus in Nieuw-Zeeland: 'Toen ik de brief van het Rode Kruis kreeg, wist ik dat mijn leven voorgoed zijn zin verloren had. Maar ik moet door, de goede God zal weten waarvoor of waarom.'

14

'Als je 't graag wilt, kunnen we de brieven fotokopiëren. Je moet beloven dat je ze nooit aan iemand anders laat lezen. Ook niet aan je moeder. Die weet volgens mij nagenoeg niets van het verleden van je vader en dat moet zo blijven. Ik ken je moeder niet, maar ik heb natuurlijk vaak over haar gehoord. Een zorgelijk mens dat – zo schat ik haar tenminste in – slechts één ding voor ogen had: zowel financieel als emotioneel de zaakjes aan elkaar knopen.'

Ik probeerde het beklemmende interieur van mijn nicht uit mijn gedachten te zetten. 'Hoe kun je dat nu weten? Toen mijn ouders getrouwd waren, hadden ze in elk geval geen gebrek aan geld. Daarnaast kan ik mij ook moeilijk voorstellen dat mijn vader zowel voor als na zijn scheiding aardige dingen over haar heeft verteld. Dat huwelijk was een drama!'

'Je vader zag zijn toestand – mag ik het gekte noemen? – tijdens hun huwelijk heel goed in. Die man was vernield, hij kon niet anders dan zo handelen als hij deed. Bij hem hield de oorlog in 1945 niet op, die begon toen pas.'

'Dat hebben meer mensen gezegd, oké. Maar hoe verklaar je het dan dat we na de echtscheiding geen cent van hem kregen?'

'Je moeder weigerde alimentatie. Ze wilde niets meer met hem en zijn gekte te maken hebben.'

'Stel dat 't waar is, waarom kreeg ik dan geen geld om mijn studie te betalen en weigerde hij zelfs zijn handtekening onder een weigering te zetten zodat ik tenminste een beurs zou kunnen aanvragen? Van die gekte, dat wil ik geloven, maar wat betreft het geld vergis je je vreselijk.'

'Lees die brieven. Laten we naar Copy Text gaan.'

'Naar de wat?'

Columbo Street in Christchurch is een van de treurigste winkelstraten ter wereld. Ik voelde mij zoals ik mij twintig jaar eerder voelde toen ik depressief door een eindeloze opstelling van grijze gevels, bepukkelde mensen en steenkolengeur in Sheffield slenterde.

Mary zei: 'We moeten ons haasten, die zaak wil wel eens een uurtje vroeger dichtgaan. We kopiëren niet zo vaak hier, de eigenaar van die winkel doet 't er een beetje bij. Ik geloof dat hij leeft van zijn schapen even buiten de stad.'

'Het zal niet waar zijn,' mompelde ik.

'Ja hoor, hij is nog open. Kom op.'

~

Kom op!

'Ik stop de brieven onder de flap en als jij ze dan in de enveloppen terugdoet, schiet 't een beetje op. Hou ze wel op volgorde, anders zit ik straks thuis weer uren te sorteren. Soms kun je een paar woordjes niet lezen. Dat komt omdat je vader heeft zitten huilen. Dat heb je gauw, hè, als je met inkt schrijft. Vloeit als de pest. Wat een geluk! Zie je dat daar, dat bordje? We krijgen korting. We hebben veel meer dan honderd velletjes. Nou, dat is dan mooi meegenomen.' Mary's babbelzucht was nauwelijks te verdragen.

Mijn vaders handschrift viel ten prooi aan zeeën van licht. Af en toe probeerde ik iets te lezen. 'Nu niet,' zei Mary haastig, 'straks gaat hij dicht en dan moeten we morgen terugkomen en daar heb ik toevallig helemaal geen zin in.'

'Morgenochtend vlieg ik naar Tasmanië.'

'Dat is ook nog 'ns waar. Kom op, *let's do it in a hurry.'*

'Hij deed in een brief dikwijls honderd... Hoe heten die dingen bij jullie?' zei Mary.

'Guldens,' antwoordde ik.

'Je vader bestond eigenlijk alleen maar uit verdriet. Nu ik hier met die brieven sta, voel ik dat verdriet bijna lijfelijk,' zei Mary.

'Er zou iemand een boek over die man moeten schrijven. Wat zeg ik: zes romans, zeven!' zei Mary.

'Er zijn natuurlijk veel meer mensen met een verschrikkelijk verleden, maar je vader had geen verleden. Op ieder ogenblik van de dag wás je vader zijn verleden. In ieder gesprek met hem leek het wel of hij geen heden en toekomst kende. Ik kan mij geen gesprek herinneren dat over de volgende dag ging,' zei Mary.

'Zal ik een potlood vragen, dan kun je de blaadjes nummeren. Als ze door elkaar komen, krijg je ze nooit meer op volgorde,' zei Mary.

'Ik heb mij vaak afgevraagd of het niet beter voor hem was geweest als hij net zoals zijn familie aan zijn einde was gekomen,' zei Mary.

'Hoe ver zijn we?' vroeg Mary.

'Velletje driehonderddertien,' antwoordde ik.

'Dan zullen we zo ongeveer op de helft zijn,' zei Mary terwijl ze naar de nog niet gefotokopieerde brieven keek.

'Het moet toch vreemd voor je zijn om het verleden van je vader in deze godgeklaagde plek aan de weet te komen?' vroeg Mary.

'Je vindt het hier dus zelf óók godgeklaagd,' merkte ik op.

'Er zullen toch wel betere plaatsen op de wereld zijn, denk je niet?' vroeg Mary zich af.

'Dat denk ik wel, ja,' zei ik.

'En hoe ver zijn we nu?'

'Vierhonderdnegentig.'

'Dan komt het einde in zicht.'

'Ik denk van niet,' zei ik zachtjes.

'Hoe bedoel je?' snerpte Mary.

'Nou ja…'

'Wát nou ja!'

De zon vulde plotseling de hele winkel. Gevoegd bij het schuiven van het intense kopieermachine-licht, ging 't er zelfs een beetje vrolijk uitzien daar in Christchurch. Dit vrolijke licht is helemaal verkeerd, dacht ik.

'Als ik maar genoeg geld bij me heb. Het is me nogal geen pak papier.'

'Vijfhonderdvijfenzestig vel!'

'Ik betaal,' bood ik aan.

'Daar gaat 't niet om,' zei Mary. 'En moet je kijken wat ik nog in een enveloppe gevonden heb: hon-derd… Hoe noemen jullie die dingen ook weer?'

'Guldens,' antwoordde ik.

'Guldens,' herhaalde Mary met zwaar accent.

15

Het vliegtuig zette de daling in boven een zompig gebied. De 'internationale' luchthaven van Tasmanië leek meer op een dorpsvliegveldje. De reizigers moesten zelf hun koffers van houten karren tillen. Het was herfst en er hing een spookachtig licht tussen de bergen. Ik vroeg een taxichauffeur of hij een behoorlijk hotel in Hobart wist. Hij noemde een naam die mij niets zei en reed mij veertig kilometer door een donkergroen landschap. Men had – dat was al duidelijk vanuit het vliegtuig zichtbaar geweest – de afstanden ingekort door dijken en bruggen dwars door zee-inhammen te leggen. Toen we een hoge, lange brug naderden, wist ik plotseling en met absolute zekerheid dat de chauffeur een toeristische anekdote zou gaan vertellen. Ik wist zelfs welke: die van de brug over Derwent Bay waartegen ooit een schip botste, die vervolgens instortte en waarvan televisiebeelden over de hele wereld werden gezonden. Het beeld van het Volkswagentje dat nog net bleef hangen, was onvergetelijk.

Ik was de chauffeur voor en dat ergerde hem zichtbaar: 'Van die ramp, toch? Heet die niet de Tasman Bridge; wanneer gebeurde dat ook weer?'

'1975. En van mij had de reparatie veel langer mogen duren. Als je naar of van het vliegveld de toen ingezette pont miste, moest je helemaal omrijden. Langs de baai en de rivier omhoog, tot aan Huanville. Aan die ritten hebben we in die jaren een boel verdiend, *bloke*.'

We reden het centrum van Hobart binnen. Een stad met een paar wolkenkrabbertjes, een centrum dat om vijf uur in de middag al gesloten en uitgestorven leek en waarover een roodbruin licht viel dat ik nog nooit ergens eerder had gezien.

'Dit hotel zou ik u aanbevelen,' zei de chauffeur op een viersprong. Ik keek om mij heen en zag vier stukken straat. Eén verkeersweg liep bollend omhoog, een andere straat was geheel leeg en van vuurrode klinkers voorzien; zij leek het winkelcentrum te vormen. De twee andere straten liepen bijna steil naar beneden en daarvan kon ik dus niets zien. Terwijl ik afrekende, vroeg ik, om gewoon maar wat te vragen: 'Dit is zeker het winkelcentrum?'

'Dat zou de grootste *fuckin' creep* nog zien,' antwoordde de chauffeur.

Ik verloor mijn praatvaardigheid nu geheel en zei: 'Oh, oh,' stapte uit, hoorde de chauffeur gas geven en keek naar mijn bagage. Godverdomme – dacht ik. Ik riep het even later luidop, terwijl een vrouw, met een regenkapje op onder een staalblauwe, heldere hemel, haastig in een soort dribbelpas langs mij liep. Ik miste mijn hockeytas waarin ik de brieven van mijn vader had gestopt.

Ik sleepte mijn reisgoed het hotel in, vertelde haastig mijn probleem, reserveerde een kamer en vroeg aan de dame die mij te woord stond of ze een taxi wilde bellen. Vijf minuten later kwam een bekend gezicht de lobby binnenwandelen.

'Vliegveld zeker? Dacht ik al. Zeker die ene tas vergeten? Dacht ik ook al. Ik zag die sporttas wel, maar ik veronderstelde dat het uw handbagage was en dat u die zelf wel op zou pakken.'

Klootzak, dacht ik.

'Ach, een rustig vliegveldje, ze stelen hier niet, stapt u maar in. Het leed is over een uurtje geleden,' vervolgde de chauffeur zijn betoog terwijl hij het contactsleuteltje omdraaide.

Hetzelfde landschap in omgekeerde volgorde. Ik genoot er niet van. De stadjes en dorpen droegen namen zoals elders in de wereld: Cambridge, Lauderdale enzovoorts. Ik wilde vragen of de chauffeur niet harder kon rijden.

Hij leek gedachten te kunnen lezen: 'Maakt u zich geen zorgen. Dat tasje zal heus niet gepikt zijn. Pas morgen komt er weer een vliegtuig. Het staat nog rustig op de stoep op u te wachten, let u maar op.'

Het vliegveld was inderdaad volkomen verlaten. De schrale herfstzon wierp over het troosteloze terrein nu een bruin licht in strepen.

'Daar moet de tas staan,' riep ik.

'En ze staat er niet,' zei de chauffeur oprecht verbaasd.

∼

We keken samen naar lege, gewassen grindtegels.

'Het lijkt wel een slechte roman,' zei ik in het Nederlands.

'I don't understand.'

'It seems to be a bad novel,' vertaalde ik mezelf zo goed als in mijn zenuwachtige toestand mogelijk was.

'Ik lees nooit romans.'

'Ik bedoel wat anders.'

'Dat we naar de afdeling gevonden voorwerpen moeten?' suggereerde de chauffeur. 'Nou die hebben we hier niet. Uw tas staat gewoon binnen. Iemand heeft haar waarschijnlijk binnen gezet, omdat hij bang was dat ze anders nat zou worden. Er is regen voorspeld en dat is niet eens zo'n kunst: het regent hier altijd.'

De deuren van de aankomst- annex vertrekhal waren gesloten.

Mijn tijdelijke reisgezel meende: 'Geen probleem' en daarom liep ik maar achter hem aan. Via een opslagruimte kwamen we in het kantoor van de reisonderneming Ansett terecht.

'Ha die Rex, geen ritje meer?' riep iemand uit een hoek.

'Deze jongen is een tasje kwijt,' zei de chauffeur die blijkbaar Rex heette.

'Ik ben mijn wijf al tien jaar kwijt en toch nog steeds gelukkig,' hoorde ik.

'But…,' probeerde ik.

'Rustig,' zei Rex terwijl hij een hand op mijn schouder legde. 'Laat mij dit maar regelen. Ik spreek beter Engels.' Hij lachte.

Rex praatte wat met de Ansett-medewerker en keerde zich ten slotte naar mij om: 'Ze hebben niets gevonden. De karren zijn allemaal leeggehaald en er is niks gevonden door controleurs of schoonmakers.'

'En morgen?'

Rex wendde zich tot de luchthavenmedewerker. Het gesprek verging voor mij in het geluid van een opstijgende Cesna.

'Morgen zal 't hetzelfde als vandaag zijn. Het enige dat hij kan verzinnen, is dat een andere reiziger per vergissing jouw tas heeft meegenomen. Zat het vliegtuig vol?'

'Nee. Twintig mensen, denk ik.'

'Dat moet te doen zijn,' zei Rex raadselachtig.

'Hoe bedoelt u?'

'Ze brengen uw tasje heus wel terug naar het vliegveld. Wat zat erin?'

'T-shirts, een ouwe reisbroek, afgetrapte bergschoenen en brieven.'

'Nou ja,' zuchtte Rex ontmoedigend. 'Zijn het dure bergschoenen!'

'Wat doet dat er nu toe! Het gaat mij om die brieven!'

'Volgens mij brengt niemand op Tasmanië een tasje terug waarin brieven zitten en ouwe bergschoenen,' meende de Ansett-medewerker.

'Dat geloof ik ook niet, eerlijk gezegd,' zei Rex.

De Ansett-medewerker knikte bijna hartstochtelijk.

'Ik zal je het adres geven van een winkel waar ze puike bergschoenen verkopen voor weinig geld. Ik begrijp het best: je wilt hier komen klimmen en je mist je schoenen. Voor veertig dollar kun je hier de meest fantastische, schapelederen klimmertjes kopen. Oké? Als je helemaal uit Europa komt, kunnen die veertig dollar je de kop niet kosten.'

16

Het vergalde mijn verblijf op Tasmanië: de voortdurende telefoontjes naar het vliegveld, de bezoeken aan het Ansett-kantoor in Hobart – later dat in Launceston – en het talloze malen beschrijven van de kleur en de vorm van mijn reistas. Zelfs een tocht over land met een *blazer* naar Cape Paul Lamanon en een vliegtocht in een wiebelig kistje naar de kangoeroekolonie op Maria Island werd erdoor verpest. Reusachtige *red kangaroos* stonden mij verwonderd aan te kijken, maar ik dacht aan de brieven van mijn vader. Ik kon aan niets anders meer denken, totdat ik mij plotseling – maar veel te laat – realiseerde dat mijn nicht in Nieuw-Zeeland natuurlijk gewoon de originelen bezat.

Toen ik tot dat besef gekomen was, belde ik haar op.

'Mary, alles oké?'

'Ja hoor en hoe gaat het met jou? Hoe is het op de saaiste plek ter wereld? Dat hoor ik tenminste altijd van mensen die daar geweest zijn. Een eiland dat een beetje op slot zit, is het niet?'

'Dat valt wel mee. Wat ik wilde vragen: zou je de brieven nog een keer kunnen kopiëren en naar Nederland willen opsturen? Als ik terug ben zullen ze hopelijk gearriveerd zijn, want…'

'Je wilt ze in stereo lezen,' lachte ze aan de andere kant van de Tasman Sea.

'Nee, nogal stom, maar ze zijn op het vliegveld bij de bagageclaim zoekgeraakt. Iemand anders moet mijn tas meegenomen hebben en zij is nog steeds niet teruggebracht. Bij Ansett hebben ze mij verteld dat ik 't opduiken van die tas zo langzamerhand wel kan vergeten. Uiteraard zend ik je een cheque voor de kosten. Luister je nog?'

'Oh,' hoorde ik vlak.

'Wat *oh*?'

'Toen je vertrokken was, heb ik de brieven toch maar verbrand. Ik wist opeens niet meer waarom ik met dat schriftelijke leed nog verder zou moeten leven. Ik dacht: nu Lothar die boekhouding van de dood heeft, is het genoeg. Waarom zou er ergens een dubbele boekhouding van 's mans ellende moeten bestaan? Daarom. Begrijp je?'

Ik nam haastig afscheid van Mary.

'Waarom zo'n haast? Bel je gauw? Misschien worden ze toch nog gevonden. Kop op, jôh. Het is toch eigenlijk, godverdomme, wat een toeval…'

Verslagen zat ik op de rand van mijn bed van het Downtowner Hotel in Elizabeth Street, Hobart.

~

De reis terug bracht geen nieuws. Ik belde vanuit Sri Lanka en Dubai nog naar Ansett, maar men sloot het 'bijna met honderd procent zekerheid' uit dat mijn tas nog zou worden gevonden. 'Natuurlijk kunt u proberen, als de fout bij ons ligt, financieel enig verhaal te halen,' betoogde een meisje enthousiast toen ik voor de laatste keer met de luchtvaartmaatschappij telefoneerde. Toen het vliegtuig in Rome opsteeg, begreep ik dat mijn vaders geschiedenis voor mij zeer waarschijnlijk voorgoed verloren was gegaan. In D. hoefde ik niet te zoeken (de stad was in de oorlog tot onder kelderniveau stukgebombardeerd), mijn moeder weigerde te praten (misschien wist ze ook wel niets) en anderen dan Mary, die iets over zijn verleden wisten, leken niet meer te bestaan.

Ruth duwde het karretje met koffers naar de auto en vroeg: 'Heb je het fijn gehad? Mij heeft 't te lang geduurd hoor; je mag nooit meer zo lang weg.'

'Ik heb nogal een tegenvaller gehad.'

'Dat hoorde ik. Verschrikkelijk die toestand in Colombo. Schieten ze echt op straat?'

'Dat was het ergste nog niet.'

Ruth luisterde niet. Ze tilde een tas de kofferbak in en vroeg: 'Waarom heb je eigenlijk dat ene hockeytasje vooruit laten sturen; dat had je toch ook nog wel kunnen dragen?'

'Heb je hem opengemaakt? Zitten de brieven erin?'

'Dat zou ik nooit doen, dat weet je toch. Wat voor brieven? Heb je mij tóch geschreven, maar niks opgestuurd. Schat! Ik wist het wel!'

Ruth kuste mij en deed onderwijl de kofferbak met een klap dicht.

'Sodeju! Wat ben ik gelukkig.'

'Dat je dat zegt, is zó ontzettend lief van je, Lootje.'

≈

De tas stond op het tafeltje in de hal. Er zaten stickers met tientallen plaatsnamen op: 'Peking', 'Calcutta', 'Manilla', 'Buenos Aires' en 'Colon'. Verder nog allerlei gescheurde briefjes met korte aantekeningen waaruit bleek dat mijn vaders brieven wekenlang over de hele wereld gezworven hadden. Op zoek naar 'an unknown person'. Aan mijn hockeytas had ik immers geen label bevestigd en aan de inhoud had men ook geen eigendomskenmerk kunnen ontlenen.

'Het is een wonder dat ze mij toch hebben weten

te vinden,' mompelde ik en ritste de tas open.

'Je gaat toch niet eerst dwangmatig je spullen uit-pakken?' vroeg Ruth.

'Dwangmatig, zei je?'

'*Dwangmatig,* ja. Kom even rustig zitten. Vertel 'ns: is dat Nieuw-Zeeland inderdaad zo groen? Over-al schapen?'

'Overal schapen. Overal!'

De jetlag, de drank, het tijdsverschil, Ruth die vroeg: 'Eerst even neuken, kom nou, ik wil weten of je het nog kunt,' en de zekerheid dat ik de stapel ko-pieën tussen mijn bergschoenen en T-shirts had ge-zien, deden mij tot ver in de volgende dag slapen.

'Hé, reiziger, sterke koffie, die zul je wel gemist hebben.' Ruth stond aan de rand van mijn bed in een veel te grote badjas.

'Pak de tas eens uit de gang.'

'Je bent wel vriendelijk. Goeiemiddag!'

Ze slenterde de gang in.

'Hier is de tas. Moet ik je andere bagage ook op bed sjouwen? Je zegt het maar!'

'Doe nou niet zo lullig. Weet je wat hierin zit? De geschiedenis van mijn vader. En weet je wat er met deze tas is gebeurd? Die heeft over de hele wereld ge-zworven en was bijna voorgoed zoek geweest.'

'En weet je nu alles over hem? Wat goed zeg!'

'Ik weet nog bijna niks. We zullen zien.'

We lazen de brieven totdat de dag van naam en ge-

tal veranderde. De koffie stond steenkoud en onaan-
geraakt naast het bed.

'Het is niet te geloven,' zei Ruth met rode ogen van
het lezen.

'Het is alsof-t-ie mij een rekening heeft gestuurd
die ik nooit betalen kan.'

Ruth glimlachte. Even. Bijna onzichtbaar.

'Ik zal nieuwe koffie maken,' zei ze.

Derde deel

1

Ik dacht plotseling terug aan de jaren op de lagere school.

Als mijn vader de speelplaats op kwam wandelen, fluisterde de meester terwijl hij uit het raam staarde: 'Daar komt de held. Mede aan die man hebben we onze vrijheid te danken.'

De jongen die naast mij in de bank zat, vroeg: 'Waarom is hij een held? Wat is eigenlijk *een held*?'

Ik haalde mijn schouders op; ik wist het niet.

Op vijf mei zaten we, gedurende onze hele lagere-schooltijd met z'n allen in de gymnastiekzaal. Toen we tien jaar bevrijd waren (van dat 'we' en 'bevrijd' begreep ik niet eens de diepere intentie), stond de hoofdmeester naast een enorme stapel dozen. Hij hield een beker omhoog. 'Deze prachtige beker, waarop jullie heel zuinig moeten zijn en waaruit jullie uitsluitend op feestdagen je melk mag drinken, krijgen jullie van Hare Majesteit cadeau. Deze beker symboliseert vrijheid. Vrij-heid. Daar hebben jullie ouders vijf jaar naar gesmacht. Behalve misschien de ouders van Ruprecht en Heinrich.'

De hoofdmeester zei even niets. We keken allemaal achterom. Ruprecht en Heinrich keken ons schaapachtig aan.

'Inderdaad, de ouders van Ruprecht en Heinrich hadden het liever anders gehad, maar verder heerst er blijheid in onze harten. We voelen de knoet niet meer, we ademen vrij en – jongelui – jullie kunnen spelen waar je maar wilt en met wíé je wilt. Dat was tien jaar geleden nog heel anders. Vraag dat maar aan je ouders, Ruprecht en Heinrich. Hoewel: ik geloof dat die het toen juist naar hun zin hadden, nietwaar Heinrich en Ruprecht?'

We keken weer allemaal achterom. De twee jongens keken nog even schaapachtig; Heinrich had snot aan zijn neus.

'Ik zou graag,' vervolgde de hoofdmeester, 'het eerste exemplaar van dit kleinood willen overhandigen aan iemand wiens vader geen moeite te veel was. Aan wie wij – jongelui – heel veel verschuldigd zijn. In Lothars vader wil ik die dappere mannen en vrouwen eren die onverschrokken de vijand tegemoet traden.'

Ik keek onnozel naar het podiumpje omhoog.

'Je krijgt de eerste beker. Jeempie, dat zou ik ook wel willen. Was mijn vader ook maar een held geweest!' hoorde ik een jongen achter mij roepen.

'Zou Lothar naar voren willen komen?'

Ik stapte naar voren. Nam de twee treedjes en ging, verschrikt en onwennig, naast de hoofdmeester staan.

'Lothar,' sprak hij plechtig, 'jij weet van ons het beste wat je vader en je moeder hebben doorgemaakt. Het is mij een eer jou de eerste bevrijdingsbeker te overhandigen. Alsjeblieft, wees er zuinig op.'

~

Ik wist van niets en was er ook niet zuinig op. De beker viel, toen de beatmuziek voor het eerst zijn geluid in volle hevigheid liet horen, van de plank boven mijn opklapbed in scherven uiteen. Dertig jaar later had ik er het toevallig over met Margot, de secretaresse op kantoor. Ze lachte: 'Ja ja, die beker herinner ik mij heel goed.'

Een week later riep Margot op kantoor: 'Cadeautje!' Ik kreeg een pakje dat ik onmiddellijk openmaakte. Er zat een lichtgele beker van aardewerk in met een daarop geschilderde, zwierige, rode 'V'. Door de rode letter stapte een fiere leeuw, met een kroontje op zijn kop en een getrokken zwaard in een van zijn klauwen. Onder de 'V' stond '5 mei' en op de achterkant '1945-1955'.

'Verdomd, dat was 'm!'

'En wees er nou zuinig op. Beloofd?' zei Margot.

Ik kuste haar. Zag de gymnastiekzaal haarscherp

voor mij, rook de geur van zweetvoeten en voelde bijna letterlijk terug hoe ik, verlegen en onwetend – onder een klaterend applaus – het podium afstapte.

Thuis zei mijn moeder: 'Laat je vader 'm maar niet zien. Zet 'm gauw boven in je kamertje. Aan van die late en goedkope eerbewijzen hebben we weinig. Die man al helemaal niet, die zou er nog meer van streek van raken. En zet 'm niet zo opzichtig neer. Doe 't maar gauw.'

'Waarom…,' begon ik een cruciale vraag.

'Kinderen die vragen, worden overgeslagen,' onderbrak mijn moeder mij al voordat ik een tweede woord had kunnen uitbrengen.

~

Over de oorlog spraken mijn ouders nooit direct. Ze hadden het over 'die tijd' of 'toen die raddraaiers hier de beest uithingen'.

Op de lagere school begonnen de meesters vaak over de oorlog te praten, maar maakten hun verhaal meestal niet af. 'En toen…, nou dat weten jullie allemaal wel, en zéker Lothar, diens vader zal wel een boel verteld hebben,' zeiden ze. 'Kom op, jongens, volgende vak, pak de rekenboeken onder de klep vandaan, bladzijde 42!'

Er hing een waas over mijn vader en zijn verleden in het dorp waar ik woonde. Toen mijn ouders gescheiden waren, verdween de waas niet. Hij leek hoogstens een beetje hoger te hangen. Als een opgetrokken mist, als een verder weg gedreven natuurfenomeen.

Elke vierde mei – tenminste zolang als hij bij ons woonde – liep mijn vader mee in een zwaarmoedige tocht door de duinen. Mijn moeder bracht bloemen naar een ondermaats oorlogsmonument aan de andere kant van het dorp. Mijn oudste broer meende: 'De vent die daaronder ligt, is door de Duitsers gefusilleerd. Volgens mij is ma, behalve op pa, oók op die vent verliefd geweest. Waarom huil je anders als je er een bos tulpen neer gaat leggen?'

Mijn moeder wilde er niets over zeggen. Later bleek trouwens dat de gedode helemaal niet onder het monument lag. Het was zo maar een herinneringsteken, de gefusilleerde lag heel ergens anders. 'Ergens in Friesland. Of Groningen. Daar wil ik af wezen,' hoorde ik op een keer toen ik mijn sandalen bij de schoenmaker afhaalde.

De latere sporen van mijn vader waren nog raadselachtiger. Zijn dood, zijn laatste brief aan mij. Een bejaarde man met een trekkend been die ik in een Oxfordse hotellounge tegenkwam: 'Mantoua, Mantoua… ik heb iemand met die naam gekend. Fijne vent, doordouwer. Voor niemand bang, maar tragisch was 't allemaal wel. Godvergeten tragisch!'

En weg was de man met het trekkende been. 'Nee,

hij heeft net uitgecheckt, zou u hem willen spreken?' zei de *bellboy*. 'Nee, hij heeft helaas geen adres achtergelaten, we zouden dat trouwens ook niet mogen geven.'

Soms dacht ik dichterbij te komen, maar steeds verdween een mogelijke gesprekspartner of was een bepaald document in een archief zoek.

'Ik kan niet mooi schrijven, maar als ik 't zou kunnen, zou het een prachtige biografie zijn. De mensen zouden het leven van je vader niet geloven. Het was zo *evil*. Hij moest noodgedwongen een rekening betalen die geen mens kan betalen of zou hebben kunnen voldoen,' zei Mary toen ze mij in Nieuw-Zeeland ten afscheid kuste.

'Wat bedoel je?'

'Dat lees je wel. *Have a nice flight.*'

2

Ik praatte tegen Ruth: 'Het is beter dat ik er in mijn eentje ergens over nadenk, hier tol ik maar rond. Waarom zit de wereld toch zo onrechtvaardig in elkaar?'

Ruth wierp tegen: 'Je moet niet alleen gaan, dan wordt het alleen maar erger; ik ken je. Vraag Emile of hij zin heeft om met je mee te gaan.'

Emile en de vogels. 'Leuk! Ben je wel eens op Dominica geweest? Nee? Ik ook niet. Er is nauwelijks toerisme en je kunt er, geloof ik, alleen maar boskikkertjes eten. Die smaken naar kip. In het regenwoud kun je de sisserou zien, een zeldzame papegaai. Zal ik 'ns informeren of we daar op korte termijn heen kunnen?'

We vlogen naar Dominica. Na een dag en een nacht op Guadeloupe te hebben doorgebracht, reed na een korte vlucht een taxi ons van het vliegveld bij Roseau de bergen in. Een Amerikaans echtpaar, in de jaren vijftig bang geworden voor de atoombom, had een soort huttenkamp gebouwd in de vallei van de Trois Pitons River. Tegen een steile rotspartij stonden – opnieuw opgebouwd na een vernietigende *hurricane* van tien jaar eerder – een paar keten van groen geschilderd hout tussen de overdadige plantengroei. Het regende hevig toen we arriveerden en het geluid van het water werd nog versterkt door de borrelende heetwaterbronnen en het geruis van de Trafalgar Falls die vlak achter de Papillote Wilderness Retreat omlaagstortten.

De eigenaresse vroeg: 'Zouden deze kamers u bevallen?' We keken in een paar Spartaans ingerichte hokjes die waren afgedekt met golfplaten.

'Waar maak ik de meeste kans om de sisserou te zien?' vroeg Emile.

De hoteldame haalde haar schouders op. Haar echtgenoot kwam naast haar staan en vroeg: 'Zijn jullie geïnteresseerd in cybernetica?' Op onze beurt haalden we de schouders op.

'Als jij gaat lezen, ga ik vogels kijken,' zei Emile die zijn verrekijker uit een tas haalde.

Ik ritste mijn hockeytas open en bladerde door de honderden velletjes met het handschrift van mijn vader. Naast het geluid van het water brak er een oorverdovend gesis, gepiep, gefluit en gesnerp uit.

De natuur vierde feest op Dominica; mijn vader schreef aan Mary: 'De zomers in D. waren blijmoedig en werden door niets verstoord. We woonden met zijn allen even buiten de stad op een landgoed. Nu ik eraan terugdenk, lijkt het wel of we 's zomers uitsluitend in de grote tuin woonden. Achterin stonden rieten stoelen en daar zat ik graag. Ik las, rook de lucht uit zee en tegelijkertijd voelde ik de warme wind uit het land. Mijn verloofde was een mooi meisje en ik denk nog vaak aan haar. Gitzwarte ogen, ze leek wel uit Afrika te komen. Onbegrijpelijk dat ze dacht dat het niet zo'n vaart zou lopen. Toen ik besloten had dat ik D. voorgoed zou verlaten, zei ze: dan kies je dus voor jezelf en niet voor mij. Daar had ze gelijk in, maar niet voor lang. Toen het geluid van de laarzen en de marsen, die steeds vaker georganiseerd werden, bijna dagelijks ging klinken, koos ze uiteindelijk tegen zich zelf. Niemand weet hoe ze om het leven is gekomen. In 1939 moet ze nog geleefd hebben (haar laatste briefje aan mij draag ik nog altijd in mijn portefeuille bij mij), maar daarna is er over haar niets meer bekend. Is ze opgehaald en verbrand of raakte ze bedolven onder het puin dat ik later zelf zou veroorzaken?'

Ik keek over de veranda van mijn kamertje naar het afgeladen oerwoud. Mijn vader die puin veroorzaakte, dacht ik. Emiles hoofd, rood van opwinding, vertoonde zich: 'Suikerdiefjes bij de vleet, een zwarte ani, een paar gekuifde kolibries en zelfs een breedgevleugelde havik… Het lijkt hier wel een dierentuin, maar dan wel een héél goeie. En weet je wat de eigenaar mij vertelde? Dat je hier 's avonds lichtgevende paddestoelen en kevers die schitteren als een Bengaals vuur kunt zien. Hoor je me?'

'Niet echt,' antwoordde ik.

'Geniet toch eerst van de natuur, piekerkoning. Je hebt nog tijd zat voor die brieven.'

'Wat zou hij met *dat puin dat hij zelf veroorzaakte* bedoelen?'

'Als ik je goed begrepen heb, zat hij niet bij de Luftwaffe,' zei Emile die zijn kijker scherp stelde op iets dat zich hoog boven de palmen bewoog.

'Verdomd!' riep ik uit, bladerde door de velletjes en zei: 'Dat is het natuurlijk, lees maar… Die man met dat trekkende been die ik in Oxford tegenkwam, was natuurlijk een collega van hem. Mijn vader en hij zaten in dat vliegerskorps dat uit naar Engeland gevluchte kerels bestond. Moet je horen!'

'Ik denk niet dat ik de sisserou te zien krijg. Er schijnen er nog hoogstens honderd te zijn en die zitten hoog en onbereikbaar in de bergen. Sorry, wat zei je?'

Emile ging zitten en ik las voor. Mijn vader schreef aan zijn schoonzuster: 'Het knaagt aan mij en het zal tot aan mijn laatste snik aan mij blijven knagen. Wat is erger: van huis te worden opgehaald door een stelletje dolgedraaide jongens of sterven onder een regen van geallieerde brandgranaten? Waar zou mijn verloofde langer geleden hebben: in het kamp of in een trage regen van lekkend fosfor? Ik had nooit moeten weggaan. Ik had samen met mijn ouders, mijn broer en mijn zussen moeten sterven. Het leven na 1945 was een kwelling. In mijn vrouw probeerde ik mijn verloofde te ontdekken, maar ze was het niet. Bij de geboorte van al mijn zoons dacht ik: hij lijkt op een van mijn broers, maar mijn jongens herinnerden in niets aan hen. Ze hadden blauwe of groene ogen, nooit zwarte.

Ik heb van mijn jongens en mijn vrouw proberen te houden, maar het lukte niet. Als we plezier leken te kunnen hebben, duurde dat slechts enkele minuten. Het duurde nooit lang of ik dacht aan dat bevel: *vliegtuig stabiel, richting gecheckt? lading neer, koers Engeland.* Al mijn gedachten werden, zolang als ik getrouwd was, beheerst door vlammen en vuur. Ik droomde over puinhopen en verliet uiteindelijk geestelijk gesloopt mijn gezin. Die echtscheiding heeft niet geholpen. Ik bleef het geraas horen, ik bleef de schijnwerpers van de luchtafweer zien, ik hoorde mijn broers smeken, ik voelde bijna lijfelijk hoe mijn verloofde – waar dan ook – door vlammen verteerd werd. Er is een soort leven na de dood; daarmee moet ik leven. Een leven dat niet gaat en dat nergens goed voor is.'

Emile keek naar de grond.

'Dat schreef hij een paar jaar na de echtscheiding. Hij had neer moeten storten. Hij was beter af geweest wanneer hij boven D. was neergehaald. Al die jaren na 1945 moeten voor die man een onverdraaglijke hel zijn geweest.'

Emile was op de veranda met zijn rug naar mij toe gaan staan. 'En je wist daar allemaal niets van?'

'Tot voor kort niet, nee.'

'Dat verleden moet ophouden, Lothar. Je moet die brieven weggooien. Je moet zélf neerstorten. En daarna opstaan – dat wél,' zei mijn reisgezel.

'Hoe?'

'Er zijn zieke vogels die uiteindelijk weer kunnen vliegen,' lachte hij.

3

We huurden een twaalfjarige jongen die ons als gids naar Sulphur Spring zou brengen. Hij heette Brian, vroeg of hij mijn horloge en fototoestel cadeau kon krijgen, rende als een bezetene voor ons uit, sprong als een hinde van rotsblok naar rotsblok over de rivier, beklom als een berggeit de gladde bergwand en toonde ons eindelijk een gat in de aarde. 'Sulphur Spring; *twenty East Caribbean dollars and, please, can I have two more: it's my birthday tomorrow,*' zei hij zonder een spoor van vermoeidheid. Hij wilde direct terugkeren, maar Emile steunde: 'Een paar minuutjes rust, alsjeblieft.'

Bruingeel borrelde het zwavel uit de grond. Stoom sloeg omhoog, een weerzinwekkende stank verspreidde zich.

'De hel op aarde,' sprak ik.

'Dat kan je wel zeggen,' zei Emile.

Brian kauwde ongeduldig op een vrucht die hij uit een boom had geplukt.

'Pas op, Emile, ga er niet te dichtbij staan, die zwavel kan je hartstikke blind maken,' riep ik.

Hij keerde zich om: 'Wat ik nog steeds niet begrijp is je vader en al dat geld.'

'Ik begin het te snappen nu ik die brieven gelezen heb. Eindelijk begrijp ik iets van een opmerking die mijn moeder vroeger maakte. Ze zei een paar keer:

"Nadat die man uit de moeilijkheden was geraakt, begon hij direct met dat deprimerende gedoe; op tien mei 1945 schreef hij al zijn eerste brief om schadevergoeding."'

'Aan wie?' vroeg Emile die op een helgroen bemoste kei was gaan zitten.

'Mijn vader was nog niet terug uit Engeland of hij zette een schadevergoedingsprocedure in gang. Hij begon te schrijven naar de geallieerden, naar het Rode Kruis en later naar Duitse ambtenaren en nog later naar de Oost- en Westduitse regeringen. Hij beet zich vast in het idee dat geld zou helpen. Dat als ze hem maar schadeloos zouden stellen voor verlies van zijn broers, zussen, ouders, het landgoed, enzovoorts, het leed en het gemis alsnog te dragen zouden zijn. Uiteindelijk, heb ik uit zijn geschrijf begrepen, heeft hij een paar miljoen gekregen die hij verdomd goed belegd heeft. Dat is het enige waar hij na de oorlog mee bezig is geweest: met het vermeerderen van zijn kapitaal.'

'Ik heb een afspraak, ik moet terug,' zeurde Brian pedant.

'Laten we maar gaan,' zei Emile die zijn rug rechtte.

∽

Brian jakkerde voor ons uit. Ik legde mijn vader uit: 'In een van zijn brieven noemt hij het bloedgeld. Jaren is hij bezig geweest met beleggen, het kopen van aandelen, het handelen en verhandelen van effecten. God weet waarvoor! Het geld werd een doel op zich. In de jaren vijftig schijnt hij erover gedacht te hebben om met ons allemaal naar Nieuw-Zeeland te gaan; hij veronderstelde dat 't daar wel veilig zou zijn. Dat is de enige keer, die ik in zijn brieven ben tegengekomen, dat hij iets met het geld wilde doen. Maar verder wilde hij slechts méér, nóg meer. Hij dacht waarschijnlijk: hoe meer geld, hoe minder ik aan al die omgebrachte familieleden hoef te denken.'

'En het omgekeerde was natuurlijk het geval. Had een psychiater er niet iets aan kunnen doen?'

'Uit zijn brieven maak ik op dat Mary hem dat wel eens gesuggereerd heeft, maar mijn vader was van mening dat hij volkomen normaal was en de hele verdere wereld getikt, volslagen krankzinnig.'

'Een echte gek, dus. Vandaar die zelfmoord,' merkte Emile op terwijl hij probeerde van het ene naar het andere rotsblok te springen.

Ik wachtte op mijn vriend aan de andere kant van de rivier. 'Dat hij zich van kant maakte, is juist het minst onbegrijpelijke uit zijn bestaan.'

'Ik versta je niet!' riep Emile.

Ik herhaalde mijn zin toen hij met natte broekspijpen naast mij stond en vervolgde: 'Van die zelfmoord heeft hij in de enige brief geschreven die ik ooit van hem kreeg. Het was zijn afscheidsbrief aan zijn lievelingszoon – dat stond er zo precies in – en daarin maakte hij exact duidelijk waarom hij eruit zou stappen. Weet je nog toen die oorlogsmisdadigers vrij werden gelaten? Dat begreep hij niet. Hij werd in de jaren zestig steeds treuriger en opeens mochten die boeven los. "Die kunnen weer pret maken in Duitsland en ik zink steeds dieper weg," schreef hij mij in die afscheidsbrief. Waarom hij precies steeds meer in de gekte geraakte, weet ik pas sedert kort, maar zijn dood kent niet zoveel raadsels. Nee, dat leven na de oorlog, dat is van een gruwelijke, geobsedeerde waanzin. Naast bergen geld zat een man steeds meer aan de dood te denken. Totdat hij van gierigheid niet meer wist hoe hij zich gedragen moest.'

'Die oorlog weet wat,' zei Emile.

'Neem die hele toestand in Nieuw-Zeeland. Met zijn schoonzuster naar bed, met Mary – allemaal om maar dichter bij zijn eigen familie te komen. Maar dat hele geslacht was al lang dood: uitgemoord, uitgeroeid.'

'Denk je dat er een kans is dat een geallieerd bombardement zijn familie of zijn verloofde gedood heeft?'

'Wie zal 't zeggen. En wat doet het ertoe? Volgens mij kon je toen beter een bom op je kop krijgen dan te worden weggevoerd naar een van God verlaten plek in het oosten. Ik heb mijn vader slecht gekend, maar één ding weet ik zeker: er zat geen logica in het hoofd van die man. Geen wraak ook, nauwelijks woede, alleen maar een onheilspellend verdriet dat steeds ontoegankelijker werd. Als kind begreep ik er nooit wat van. Vaak dacht ik, als hij bozig voor zich uit zat te staren: wat is mijn vader verdrietig en ik weet niet waarom. Hij leed aan een zwaarmoedigheid waarvoor nog steeds geen woord bestaat.'

'Dus nu weet je alles?' We stonden tegenover elkaar tussen de bananebomen.

'Ik weet te veel, Emile. Had ik het maar eerder geweten, dan had ik hem kunnen helpen. Met hem kunnen praten. Wie weet was het dan allemaal anders gelopen. Nadat ik de brieven gelezen had, voelde ik mij onvoorstelbaar schuldig. Ik heb niets gedaan om die man van zijn waanidee af te helpen. Niets!' zei ik met een verstikte stem.

'Het zal mij niet gebeuren dat jij nu ook begint!' riep Emile. 'Op die manier gaat de Tweede Wereldoorlog door tot in het jaar tweeduizend!'

'Dat gaat ze ook.'

～

Ruth was een week later blij dat ik thuiskwam. Ze vroeg: 'Is nu alles over, is het voorbij?'

'Volgens Emile wel,' antwoordde ik.

'Er ligt een brief van Mary in de kamer en een officiële enveloppe waar haast mee schijnt te zijn.'

De hypotheekbank drong op betaling aan. Ik was, uit lamlendigheid en vanwege langdurige uithuizigheid, drie maanden achter. Mary vroeg of alles goed ging en of ik misschien een internationale postwissel voor de fotokopietjes kon sturen. Ze zat een beetje krap.

EINDE

Ook in Singel Pockets verkrijgbaar

Nicholson Baker *Vox* Een erotische telefoonconversatie

J. Bernlef *Hersenschimmen*

Karen Blixen *Een lied van Afrika*

Marion Bloem *Vaders van betekenis*

Boudewijn Büch *Eilanden*

Boudewijn Büch *De kleine blonde dood*

Rudi van Dantzig *Voor een verloren soldaat*

Roddy Doyle *Paddy Clarke Ha Ha Ha*

Annie Ernaux *Een vrouw & Alleen maar hartstocht*

Ronald Giphart *Ik ook van jou*

Singel Pockets

Benoîte en Flora Groult *Liefde tegen liefde*

Hella S. Haasse *Oeroeg*

Hella S. Haasse *De scharlaken stad*

Hella S. Haasse *Het woud der verwachting*

Maarten 't Hart *De jacobsladder*

Maarten 't Hart *Een vlucht regenwulpen*

A. F. Th. van der Heijden *De sandwich*

Kristien Hemmerechts *Brede heupen*

Kristien Hemmerechts *Zonder grenzen*

Marijke Höweler *Van geluk gesproken*

Alexandre Jardin *De Zebra*

Singel Pockets

Gerrit Komrij *Lof der Simpelheid*

Lisette Lewin *Een hart van prikkeldraad*

Tessa de Loo *De meisjes van de suikerwerkfabriek*

Div. auteurs(samenstelling John Müller) *Tropenkoorts*

Peter van Straaten *Luxe-verdriet*

F. Springer *Quissama*

F. Springer *Bougainville*

Bart Vos *Naar het Sneeuwgebergte*

Joost Zwagerman *Gimmick!*

Singel Pockets